誤読のイタリア

Diego Martina
ディエゴ・マルティーナ

同じイタリア人でありながらも
怒りにとらわれやすかったピッピお爺さん
怒りにとらわれにくかったアンジェロお爺さんに捧ぐ

まえがき――「誤読」の異文化

須賀敦子氏が訳したイタリアの詩

私にとって、本は小さい頃から親しい友人のようなものであり、読書は空気のように身近なものだった。文学に心引かれていた子どもの頃は、ほとんどの時間を、本を読んで過ごした。高校を卒業した後、ローマ・ラ・サピエンツァ大学の東洋研究学部日本学科に進学するにあたって、専攻分野に日本近現代文学を選んだ。その時の選択も、文学への愛好から生まれたものだった。

どちらかというと、散文より詩を身近に感じていた私は、谷川俊太郎氏の作品を研究の対象に選んだ。修士課程を修了して大学を離れてからも、日本文学への熱意は冷めることなく、谷川俊太郎氏の詩集や夏目漱石の俳句集を、何冊かイタリア語訳して出版した。翻訳活動と並行して、講演や講座で日本文学とイタリア文学を紹介する活動もしてきた。
２０１８年に、日本でイタリア近現代詩をめぐる講座が開講されるにあたって、日本語での資料を探していた。そこで、須賀敦子氏が翻訳されたイタリア詩の選集に出会った。須賀氏は、ナタリア・ギンズブルグ、アントニオ・タブッキ、イタロ・カルヴィーノといったイタリア文学を代表する作家らの作品を和訳しており、日本でイタリア文学を紹介していた。そのお陰で、イタリアに興味を持ってくれた人が増えたのではないかと思うと、感謝の気持ちで胸がいっぱいになる。

講座の資料として使うために、私は須賀氏の選集を購入した。ページをめくりながら、ウンガレッティ、モンターレ、クワジーモド、カンパーナ、サバなどイタリアの詩人たちの作品を日本語で読んだ。その中に、詩界の大物ウンガレッティの代表作「Veglia《ヴェリア》」もあった。少年のときに暗記してしまったくらい、私はこの詩が大好きだった。

「Veglia」は、兵士として第一世界大戦に参加したウンガレッティ本人が、戦場で虐殺された仲間の傍《そば》で過ごした夜を語った詩だ。須賀氏は「Veglia」という単語を訳すのに「徹夜」という語彙を選んだ。眠らずに一晩過ごす兵士（である詩人）の思いを語る詩であるため、選ばれた和訳の単語が誤りであるとは言えない。

しかしながら、「Veglia」という単語には「徹夜」以外に、もう一つ意味が含まれているのだ。それは「通夜」のこと。この詩は、詩人の隣にいた「虐殺された」「満月に向かって歯をむきだした」「腫れた手」の戦友の死に様《ざま》を描いているものだ。戦友の通夜をしながら命への執着を詠《うた》う詩人の姿が、詩行から浮かび上がってくる、という中身から判断すると、タイトルは「徹夜」ではなく「通夜」と訳したほうが適切だったのではないか。そう思った私は、無意識に和訳題名「徹夜」の隣に「誤読?」と鉛筆で書き付けた（そもそも、私は日頃から読書をする際に、思ったことや考えたことを本に書き込む習慣がある）。

「誤読」「読み誤り」。つまり、あるものの意味や内容を取り違えて、誤った理解をしてしまうこと。初めて本書『誤読のイタリア』の概念構成が思い浮かんだのは、まさにその時だった。

異文化を見る「目線」

来日してから、あっという間に9年が経《た》った。この9年間で、いろんな人に出会って様々な人たちと交流してきた。「イタリアから来ました」と自己紹介するたび、知り合ったばかりの相手の目は輝く。「イタリアはいいな。美しい国ですね！」と、私の母国を褒めてくれたあとで、会話はイタリアの話題からなかなか離れなくなる。

日本人は皆、イタリアのことが大好きなようだ。知り合ったところで「すみません、じつはイタリアが苦手なんです」と打ち明けてくる相手には、いまのところ一人も出会っていない。日本人が抱いているイタリアへの愛情は、本当に大きいと感じている。と同時に、日本人が抱いているイタリアに対する「誤読」も、本当に大きいように感じられる。

異国の文化を知ろうとする際に、事実との間に「ズレ」が生じてしまうのは仕方のないことかもしれない。同じ人類とはいえ、我々の文化や国民性は様々だ。馴染みのない異文化に出会ったとき、我々は普段、自身の属する文化の目を通して相手の文化を読みとろうとしてしまう。しかし、二つの文化の間には隔たりがあるので、その理解の過程で誤解が発生してしまうことがあるのだ。

この10年近くの間に、私が交流してきた日本人は、「イタリアのことに詳しい人たち」と「詳しくない人たち」に大きく分けられる。「詳しくない人たち」に母国の文化が理解されることは、あまり期待していない。だが、相手が「詳しい人」だとどうしても期待してしまう。

これまで知り合った日本人の中には、イタリアのことをよく知っている人が多かったにもかかわらず、イタリアについて深く理解していると言える人は、それほど多くなかった。イタリアのことに詳しいと同時に、どこか偏った解釈をしている人もいた。ある国についての情報を集めて詳しくなったとしても、情報だけでは、深い理解は得られない。言い換えると、上《うわ》っ面《つら》だけを捉えることはできても、その神髄《しんずい》までには、辿《たど》りつくまい。神髄まで辿りつきたいと思うならば、異文化を見る「目線」を変えなくてはいけないのだ。

日本文化の目線でイタリア人のことを見ようとすると、いつまでも偏った見方やおかしげな解釈しかできない。面識のない女性に声をかけることが苦手な日本人――その目線で判断すると、躊躇《ちゅうちょ》なく女性に声をかけるイタリア人の男性は、可愛い獲物を狙う猛禽《もうきん》のようなナンパ師に思われてしまう。

女性に気を遣って優しい言葉をかけるイタリア人の私も、日本では何度も、相手を口説こうとしていると勘違いされた経験がある。しかし、私にはそんな気など一切なかった。なぜなら、女性に優しく振る舞い、フレンドリーに接するのは、イタリアの文化だからだ。イタリア人の男性は、ナンパのつもりでそんな接し方をしているわけではない。人の言動を正しく読みとれなければ、「誤読」という、誤解が生じてしまうのだ。

異文化を「正読」するには「目線」を変える必要がある。相手の文化を理解するには、相手の文化の目線を使うしかない。例えるなら、相手の目を借りる必要があるのだ。よって、イタリア人のことは、イタリア人目線で見なくてはならない。イタリア人の言動は、当然ながら日本人の目線のままだと見えてこない。イタリア人の言動の理由を知ることで、行動を「誤読」せず、初めて「正読」できるようになる。私は、その理由を説明したく、本書を書こうと思いたった。日本の読者にイタリア人の目を提供して、イタリア人と同じ目線で母国の文化を見てもらいたい、と考えたのである。

自国の文化を再発見する旅

『誤読のイタリア』が描写する「イタリア人像」には、皆に知られている部分と、まったく知られていない部分のどちらもあると思う。すでに知られているところでは、イタリア人の行動。あまり知られていないところでは、その言動の理由。本書では、イタリア文化の「形」で止《とど》まらずに、その「神髄」まで遡《さかのぼ》って説明しようとした。イタリア人の目を借りると、イタリア人への理解を深められる。そうすることで、「いつものイタリア人」でありながらまったく「新しいイタリア人」像が見えてくるのだろう。

そもそも、発見は異文化につきものだ。来日して、母国イタリア文化からすると「異」である日本文化と触れ合っている私は、多分野にわたって発見の多い毎日を送っている。その発見のお陰で、以前抱いていた日本と日本人に対するイメージが、大きく変わってきた。現在も、発見を通して「誤読」が徐々に「正読」になりつつあるように思う。言語なり、社会なり、人間関係なり、私は日本文化をめぐって、日々、新しいことを見出し続けているのだ。

我々人間にとって、異文化に近づいていくことこそが、自分の国の文化への理解を深める方法なのではないか、と私は思う。異文化とは、まるで母国文化を反映させる鏡の如《ごと》きもの。異文化を「正読」する目を手に入れれば、おのずと自国の文化も見えてくるようになる。読者の皆さんには、本書で得られるだろうイタリア目線で、改めてイタリアの文化を見つめ直してほしい。これまで見えていなかった良さと矛盾に、初めて気づくかもしれない。イタリア文化を発見する過程で、日本文化を再発見することも、あるのではないかと思う。

それでは、イタリアの文化を、イタリア目線で見てみよう。

誤読のイタリア　目次

まえがき——「誤読」の異文化　3

須賀敦子氏が訳したイタリアの詩……3

異文化を見る「目線」……6

自国の文化を再発見する旅……8

第1章　誤読のイタリア人　19

ある夜のイベント……20

無口なイタリア人だっている……22

陽気でないイタリア人だっている……24

イタリア人らしいイタリア人とは？……28

いかなるときも自由であれ……29

陽気にならないと、人はいい仕事ができない……32

仕事は余裕を持ちながらやるもんだ……34

高額報酬の仕事を断る……37

コロナ禍のイタリアで …… 39
命令を無視して出かけてしまう人々 …… 42
イタリア人が一番苦手なこと …… 48
イタリア語には「ゆるみ」がある …… 52
イタリア語に染み込む「大げさな表現」 …… 54
「逃げ道」が生まれる言い方 …… 58
イタリア語と日本語における「大嫌い」 …… 63
2200年前からの伝統 …… 64

第2章 誤読の人間関係 69

「出会いがない」は日本ならではの表現？ …… 70
イタリア人の人間関係① お喋りが好き …… 73
イタリア人の人間関係② 距離感ゼロ …… 76
イタリア人の人間関係③ スキンシップが多い …… 78
イタリア人の人間関係④ 敬語を（あまり）使わない …… 81

ウェイター「さあ、今日は何を食べる？」
駅の係員「チケット渡すの忘れちまった」 …… 85
相手への思いやり？ …… 86
イタリア人の人間関係⑤ 建前と嘘 …… 89
モノは、壊れたら捨てるのではなく、直すもの …… 91
イタリア人の人間関係⑥ 一人でいるよりグループが好き …… 93
人と人を繋ぐ「点」と「線」 …… 98

第3章 誤読の恋愛関係 101

「変な日本語」と「本当の日本語」 …… 102
日本で初めて聞いた言葉① ナンパ …… 103
〝特別ナンパ禁止令〟 …… 106
日本で初めて聞いた言葉② 口説く …… 110
女性への優しさはイタリア男性のデフォルト …… 114
日本で初めて聞いた言葉③ タネウマ …… 115

イタリア人は生まれながらのドン・ファン？……119
理想の結婚相手は「稼いでいる人」？……120
目にしないものは、心からも遠ざかっていく……123
イタリア人の恋愛3ヶ条……127

第4章 誤読の家族 133

イタリア人男性は皆マザコン？……134
イタリアと日本の「家庭内会話」……138
Mamma mia!（マッマ ミア！）……140
人生で唯一無二の価値のあるもの……142
イタリアの家族のかたち……145
暖炉のない家は本当の家ではない……149
イタリア流のおもてなしとは？……154
日本とイタリアの「ウチとソト」……158
何よりも優先される自分の家族……160

「マフィア」という家族……163
結婚指輪は信頼の証……165

第5章 誤読のイタリア料理 169

日本人は食べることが大好き？……170
ハンガリーのレストランで「あー、イタリア料理が食べたい」……173
イタリア料理しか食べないイタリア人……176
〝スパゲッティの独裁政権〟……178
誤読のパスタ……181
硬過ぎるアルデンテ……185
茹で過ぎのパスタは喧嘩の原因になる……189
日本のピッツァ職人とのエピソード……192
日本の「大盛り」はイタリアの「普通」、イタリアの「大盛り」は日本の「てんこ盛り」……195
オリーブ・オイルに注意！……198

「この寿司にはオリーブ・オイルが足りない！」……200
それぞれの町に、それぞれの味がある……203
カルツォーネはピッツァではない……205
ジェラートは歩きながら……207
「ブレンド」に関する誤解……213
覚醒と娯楽のエスプレッソ……215
コーヒーへのこだわり……219

あとがき——「変なイタリア人」と日本 221

第1章

誤読のイタリア人

ある夜のイベント

数年前、イタリアのある有名な酒造業者の開催したプロモーションイベントへ、北イタリア出身の友人を連れて遊びに行った。そのイベントには、会場を盛り上げる目的で、イタリア好きな日本人のみならず、イタリア人のゲストも何人か招待されていた。東京の夜景をバックに、カクテルを手にしながら、人々が一晩中交流していた。そこに、広いベランダで遠くに聳《そび》え立つ六本木ヒルズの荘厳な姿を眺めていた友人と私もいた。

イタリア語で喋《しゃべ》っていた私たちは、突如「シエーテ　イタリアーニ？」と後ろから女性に声をかけられた。「あなたたちはイタリア人ですか？」と。背後を振り返ると、返事を待っている女性二人が立っていた。イタリア語で、「はい、イタリア人です」と答えると、またイタリア語で話しかけられる。

20歳になったばかりのKさんは、ほんの一ヶ月前まで北イタリアに短期留学しており、語学学校に通って少しだけイタリア語を覚えたと自己紹介をした。「少しだけ」と謙遜していても、日常会話に困らないレベルの彼女のイタリア語に、私は正直驚いた。

隣にいた同伴の友だちAさんは、東京の大手企業に勤めている30代の女性で、イタリアのことが大好きだけど向こうに行ったことがないと、悔しげに打ち明けた。そうして、イタリア語と日本語を交えて、イベント中４人で会話を楽しんでいた。

　イベントの終了時刻が迫ってくると、参加者は帰り支度を始めた。その時、面白いことが起きた。Ｋさんが私に向かって、

「ディエゴさんは、あまりイタリア人らしくないね」

　と言ったのだ。それに対して友だちのＡさんは、

「え？　彼こそが典型的なイタリア人じゃない？　むしろ、お友だちのほうがイタリア人らしくないかも」

　と言い返した。我々とまったく同じ時間と会話を楽しんだにもかかわらず、彼女らは私と、私の友人が醸《かも》し出す「国民性」に対してまったく異なる意見を持っていた。

「ディエゴさんは、あまりイタリア人らしくない」——。その理由を尋ねた私に「とても外向的で、何にでもすぐ盛り上がっちゃって、ずっと喋っていたから」とＫさんは説明してくれる。彼女からすると、私が連れてきた友人のほうが「イタリア人らしい」わけだ。友人の性格はまさしく、私と正反対。どちらかというと、彼は人見知りと思われるくらい、「内向的で落ち着いている」人物だった。

しかし、彼女の友だちからしてみれば、むしろ外向的な私こそが「典型的なイタリア人」だったようだ。会社勤めのAさんにどうしてそう思ったのか尋ねると「だって、テレビで観るイタリア人はみんな陽気だし、よく喋る」と明かした。

無口なイタリア人だっている

二人の異なった見方からは、なにか面白い結論に至りそうな予感がした。私も、友だちも、生まれながらの「生粋のイタリア人」であることは間違いない。が、日本人の彼女らからすると、性格によって「イタリア人らしい」／「イタリア人らしくない」と我々のことが判断されていた。

Kさんは北イタリアに留学していて、周りの北イタリア人をもとに、自分の中の「イタリア人モデル」を作り出していた。彼女の友だちAさんは一度もイタリアに足を運ばず、日本のメディアで紹介されているイタリア人を参考に「イタリア人像」を作り出していたわけだ。

多くの日本人が想像するイタリア人は、「外向的な」「陽気な」「積極的な」「勝気な」性格の、「常に喋りまくる」「盛り上がりがちな」人間だそうだ。自分の周りの日本人に同じ質問をすると、やはりだいたい同じ感想をもらうことが多い。さらに「そのイメージはどこで、何を通して得たのか」と探ってみると「テレビで観た」「雑誌で読んだ」などが多い。

そのようなイメージに当てはまるイタリア人は、イベントで初めてお会いしたAさんが考えるイタリア人像と一致している。そして、私と会場にいた友人を比べると、私のほうが確実にそのイメージに近いのだった。ところが、Kさんにとっては、イタリア人らしい人とは私のような人ではない。私と対極の性格を持っている人こそが「イタリア人」だというわけだ。

では、いったい誰の意見を信じるべきなのだろうか。イタリアに行ったことのない人より、実際に向こうに滞在して、イタリア人と触れ合った人の意見のほうが、事実に近いのだろうか。

「ねぇ、あなたたちイタリア人としては、どっちの意見が正しいと思う?」と、エレベーターに乗ったところでAさんに訊かれた。私と友人は互いの顔を

見つめて、さあ〜と肩を窄《すぼ》めた。そして、お笑いの寸劇か何かのように、

「二人とも正しいです」

「二人とも間違っています」

と、同時に対照的な答えを出した。

日本で広く知られているイタリア人のステレオタイプは、まさに外向的で陽気、多弁で暢《のん》気《き》な人のイメージ。しかし、言うまでもなく、内向的で陰気、内気であまり積極的でないイタリア人もいるわけだ。無口なイタリア人だって、いるだろう。このように、いわゆるステレオタイプに当てはまらないイタリア人たちも当然いるのだ。個人的な話だが、来日する前、日本人には「基本的に内向的であまり喋らない」イメージがあった。が、日本に来てから、よく喋る日本人にたくさん出会って驚いたものだ。

陽気でないイタリア人だっている

ＫさんとＡさんの話を聞いていて、なるほどと思ったことが一つあった。それは、イタリア人のステレオタイプを語る時には、「陽気さ」にまつわる話にはこと欠かないということ

だ。それはなぜだろう。どうして日本人はイタリア人と言えば陽気で暢気な人を想像するのだろうか。

おそらくその理由は、かつて日本（そして世界）で人気を博した「カンツォーネ」にあるのではないか、と考えている。「Canzone《カンツォーネ》」というイタリア語の単語は、「歌」を意味する。一方、日本では主に、近代イタリアの大衆歌曲と流行歌、特にナポリの歌を指すのに使用されている。『オー・ソレ・ミオ』『帰れソレントへ』『フニクリ・フニクラ』『サンタ・ルチア』『アメリカかぶれ』——これらはすべて、ナポリ人がナポリ弁で作曲した歌だ。暢気さと陽気さは、確かにイタリア人の特徴の一つかもしれない。と言っても、北より、南イタリアのほうがその気質が強く出ているように感じられる。ナポリ人の生まれつきの陽気さは、ナポリのカンツォーネにも溢《あふ》れている。ナポリのカンツォーネが日本に広まった結果、陽気なイタリア人のイメージが持たれるようになったのではないか。

生まれながらの性質と言いながらも、南イタリア人は決して、皆が皆、陽気なわけではない。同様に、北イタリアの人に陽気さがないというわけでもない。しかしながら、同じ陽気さの中に段階があるとすれば、南イタリア人が放つ陽気さは、その頂点と言えるだろう。

これは、ローマ大学時代によく一緒に遊んでいた北イタリア出身の仲間や友だちを見て感じたことだ。彼らは、明るい人たちだったが、どこか「明るくない」ところもあるように思えた。南イタリア出身の友だちの明るさに比べると、やはり「明るさが物足りない」ように感じた。例えるなら、北イタリア人の「早春に光る太陽の明るさ」と、南イタリア人の「朱夏に照る太陽の眩《まぶ》しさ」のような違いかもしれない。

　差別的な態度をとっているつもりはもちろんまったくないが、「生まれ育つ環境が人間に影響を与える」という理論は、大学生の時に読んだ和辻哲郎著の『風土』にもあった。より熱い太陽に恵まれた南イタリアの人たちのほうが、より明るく、より陽気である。そこには、地元の風土の影響があるかもしれない。『オー・ソレ・ミオ』（和訳：『私の太陽』）という歌を、眩しく照る太陽に恵まれた南イタリアのナポリ人が作詞作曲したことも、偶然ではないだろう。

「要するに、日本人が持っているイタリア人のステレオタイプは、南イタリア人をもとに作られたのではないかと思います。そういう意味では、Aさんの言う『典型的なイタリア人』には、南イタリア出身の私が該当するかもしれません。逆に、北イタリアに暮らしていた経験があって、北イタリアの人たちと触れ合ってきたKさんから見ると、それは違って見えるのかも。Ｋさんが実際に知り合ったイタリア人たちは、もっと落ち着いている人たちばかりだったんじゃないかな。そんなものだと思うよ」

南北イタリア人の違いをこのように考えていた私は、４人で地下鉄の駅に向かって歩きながら、若干興奮しながら、考えをまとめてみた。

「本当にそうかも！　だって、見てよ。南イタリアのディエゴが一人で盛り上がっているのに、北イタリアのお友だちは、まったくもって落ち着いている」と、Ｋさんが笑った。確かに、北イタリア生まれ育ちの友人は、少しも盛り上がらずに落ち着いたままでいる。

「でも、歌の話は面白かったな。良い解説だと思いますよ。せっかくだから、この機会にイタリアのカンツォーネを生で聴かせてくれませんか？」とＡさんがお願いしてきた。

友人は音痴だと言って、歌う任務を私に押し付けてきたので仕方なく、名曲『フニクリ・フニクラ』を歌い始めた。すると、それを聴いた彼女たちは、不意に足を止めて「それ、日本の童謡の『鬼のパンツ』じゃないですか!?」と腹を捩《よじ》って大笑いを始めた。そういえば、そうだった。この曲の歌詞は、日本では鬼のパンツ！

その事実にさらに盛り上がった我々は、日本の童謡名曲『鬼のパンツ』を４人で歌いながら、外苑前駅に向かった。

イタリア人らしいイタリア人とは？

イタリア人とは何か。ＫさんとＡさんに会ったあの夜から、この質問が何度も頭に浮かんでいた。イタリア人らしいイタリア人像とは、どのようなものだろうか。彼女らは、外向的か内向的か、陽気か陰気かといった個人の性格をベースにして、自分の中でのイタリア人像を作り出していた。が、人の性格はそれぞれ違うので、二人のイメージする像はまったく一致していなかった。

そこで、本章を書くにあたって、個人の性格よりも、集団の「言動」をベースにしてみた。一人のイタリア人がとる行動が、必ずしもすべてのイタリア人がとる行動とは限らない。しかしながら、その行動は多くのイタリア人の「傾向」として、そこからは「民族性」と「国民性」が見えてくるかもしれない。

例えば、知らない人に写真を見せられたとしよう。それはとあるアジアの都市で、店舗の前にきちんと並び、気長に店が開くのを待っている人たちが写っている写真。それを見て「日本人かな」と思う人は多くいるだろう。国籍が分からなくても、彼らの振る舞いから浮かび上がる「秩序を保つこと」と「忍耐すること」から判断すると、その特徴に当てはまるのは、日本人ではないかと思いあたるわけだ。多くの人がとる「言動」から、その人たちが属する国の集合的特徴、つまり国民性が見てとれるわけだ。

それでは、イタリア人らしいイタリア人とはどんな人たちだろうか？

答えを出すには、その国民性を示すものであるイタリア人の言動を見る必要がある。

いかなるときも自由であれ

イタリア人のあらゆる行動を理解するのに必要不可欠なのは、その行動のもとである、イタリア人が考えている「自由」について知ることだ。

「自由」の定義は、国や民族によって異なる。日本語の辞書、大辞泉（小学館）を引くと、自由とは「1．自分の意のままに振る舞うことができること。また、そのさま」と載っている。イタリア語の辞書を開くと、同じ語彙のところには「1．なんの強制もなく行動できる状態」（『サバティーニ・コレッティ辞典』より和訳）とある。同じ語彙であるにもかかわらず、その定義は異なる。日本語の定義によると、もっとも大事にされているのは「個人の意思」。一方、イタリア語の定義で大事にされているのは「強制がない」ということだ。

イタリア人は、子どもの頃から「自由」について学び始める。イタリアの学校には、日本のような学校指定の制服は、ほとんどない。中学校に入ると、生徒は毎日好きな服を着て登校する。ファッションではなく「自由」を養うための手段なのだ。また、学校の宿題やテストには「これについて自分の意見を述べてください」といった問題がよく出される。そんな質問にめぐり合うたびに、生徒の私は「僕の意見がどうしてそんなに聞きたいのだろう？」と思っていた。

しかし、これは単に相手の意見を知るためではなく、頭を使わせて自由に考えさせるためのトレーニングだったのだ。こうした理由は、大人になってから初めて気づいたわけだ。いずれにしろ、そうやって大事に育ててきた自由は、大人になってから、人生の軸になっている。

イタリア共和国の第7代大統領アレッサンドロ・ペルティーニ氏は「いつも、どんな時でも、いかなる人を前にしても、自由な人でいなさい（略）」と述べた。その言葉を吸収したかのように、イタリア人はどんな時でも、どの場に居合わせても、自由を懸命に守ろうとする。

イタリア語には、自由を常に優先すべしとする言い回しや諺《ことわざ》がたくさんある。例えば、私の祖母、アンナお婆ちゃんが少年の私に教えてくれた「鳥籠《とりかご》の鳥より、森の鳥として生きるが良し」。つまり、「たとえ危険に晒《さら》される心配がないとしても、自由が奪われた人生を送るのは決してよろしくない。そんな人生よりむしろ、危険に直面してしまう可能性が高くても、やはり自由のある人生を送ったほうが良い」。私の記憶では、祖父母はいろんな動物や家畜を飼っていたが、鳥だけがいなかった。その理由は、大人になってから、あの時の諺を思い出したことで、ようやく分かった気がした。

自由に発言できたり、自由に行動できる。そういった人権こそが、人類の最大成果だと考えられている。しかし、有利にも不利にもなりうる自由は、両刃《もろは》の剣《つるぎ》となる。

自由への声援を惜しまない諺がある一方、無制限な自由に対して警鐘を鳴らす諺もある。その一つは、「抑制なき自由の同伴者は不幸」。自由は自由であり続けるため、常に程度を守るのが必須条件だというものだ。抑制が緩《ゆる》むと、自由はいつしか自分勝手になるおそれがあると。だが、イタリア人が思う自由とは、定義通り「なんの強制もなく行動」させてくれるものなのかもしれない。そこには最初から、どこかに「ゆるさ」のようなものがあるように思う。それが、どんなふうに行動に影響を与えているのかを、詳しく見ていきたい。

陽気にならないと、人はいい仕事ができない

来日してから、「イタリア人はあまり仕事に励まないね」「イタリア人はよく仕事を怠けるね」といったコメントをよく耳にする。「どうしてそう思うのですか？」と相手に確認したら、日本人と比較しながら説明されたのだが、日本人に比べると、おそらく地球上のどこの国の人であっても「怠けている」ように見えてくるのではないかと、内心思ったものだった。過労死という現象が起きるくらいの日本で「普通」だと思われている仕事の量は、西洋からすると「過剰」に値するだろう。

「他には、仕事中にあまり集中していなかったり、相手と話ばかりしているイメージだね」

少年の頃のある夏、3ヶ月ほどの学校の夏休みの間に、山ほどあった読みたい本を買うために地元で様々なバイトをした。畑の葡萄《ぶどう》の栽培の世話に始まり、大工の仕事をしたり、スーパーでも働いた。朝から晩まで、バイトに明け暮れる夏を過ごしていた。

面白かったのは、どの仕事先でも、歌が流れていたことだ。葡萄畑なり、再建中の家なり、スーパーの倉庫なり。それは、四方八方にスピーカーがあって音楽が流れていたからではない。どこでも、誰かしら歌を歌っている人がいたからだ。仕事中に歌っている人たちがいた。

記憶の中から未《いま》だ消えない思い出の一つに、ペンキ屋のバイトの初日がある。先輩に「ディエゴ、何か歌ってくれないか？」と突如言われたのだ。「イタズラかな。親方に怒られるように、面白がってそう言ってきているのだろうな」と思い、言い訳をつけて歌わなかった。しかし、数十分後に親方が現場に着いて、「ディエゴ、何か歌ってくれないか？」と言ってきたのだ。

いったい何なんだろうと不思議に思い、「何のために、歌を歌うのですか」と質問した。すると「元気のためだよ」と先輩が答え、「陽気にならないと、人はいい仕事ができないぞ」と親方が言った。

自分にとって、青天の霹靂《へきれき》のような発見だった。長くて、あるいはつまらない作業をする時、歌うことで元気を出して「負担」を減らす。まさに、賢い仕事のやり方だと思った。あの日から、仕事中に鼻歌を歌ったり、あるいは大声で歌ったりする人がいても、それが自然だと思うようになった。そして、現場に歌ってくれる人が誰もいなかった時は、私が率先して歌ったものだった。

仕事中に相手とちょっとした会話をするのも、歌と同じ効果があると思っている。日本では、同僚に職務以外の話をすると、真面目に仕事に向き合っていないと思われる。しかし、喋らずに寡黙に仕事をしているからといって、必ずしも勤勉に働いているとは限らないだろう（無口すぎると居眠りしてしまう時もあるだろうし）。だから、同僚と喋って、より良い調子を出して、また頑張る。そうした振る舞いは、やる気の無さや怠惰《たいだ》に勘違いされることがあるが、本来ならば、逆だと思う。仕事に向き合わないための方便ではなく、むしろ、ベストを尽くすための「術」なのだ。

仕事は余裕を持ちながらやるもんだ

「出る杭は打たれる」。日本社会では、そうした「目立つ」働き方があまり認められていないようだ。その証《あかし》に、イタリア人の働き方を称賛してくれた日本人に出会ったのは、後にも先にもたったの一度だけだった。その人は、昨年知り合ったある建築現場の現場監督、Iさん。彼と仲良くなって飲みに行った際、何十年か前に、日本で同じ建築現場監督の仕事をしていた、あるイタリア人の話を聞かせてくれた。

「アイツはすごい奴だった」とIさんが語り始める。

「日本の建築現場はキツイ。作業には順番があって、いつも守るべき秩序が念頭にある。だけど、アイツはすっかり順番を無視したり、あるいは入れ替えたりしていた。さらには作業中に歌ったり、仕事中に世間話をしたり。しまいには、いきなり現場から消えたりして。プロジェクトの責任者に不真面目だといくら怒られても、アイツは自分のやり方をちっとも変えずに、指示を与え続けた。途中工事があまり進んでいない（ように見えた）現場を見て、締め切りに間に合わないんじゃないかとみんな心配したものだった。だって、現場は最後の最後まで混沌《こんとん》としていたから！　ところが、納品日になると、建物や内装がちゃんとでき上がっている。え、どうやって⁉　ってみんなは驚いた。俺もビックリしたよ。本当に不思議な人だった。あんなにゆるくかつ真面目な働きぶりの仕事のやり方は、初めてだったよ」

　仕事を怠けているように見えるイタリア人は、実は、余裕を持ちながら、イタリア人なりに仕事をやっている。Ｉさんにそう説明すると、

「うん、それは最終的に俺にも分かった。ただ、それを自分の目で見ていなかったら、たぶん、信じられなかったと思う」と話してから、「そういえば、アイツは一つだけできないこ

とがあったんだ。それが、『無理をする』ことだった。いいお金になる話でも、自分が無理だと思った案件は、全部断っていた」と付け加えた。

日本では、仕事をお願いする側は、相手が絶対に対応してくれることを期待する。そして、期待されている側は、たとえ新しい案件に取りかかる暇がなくても、仕方なく対応せざるを得なくなる。無理な時でも、無理と分かっていながらも対応してしまう。案件を承《うけたまわ》って、無理をして、締め切りまでに納める。期待を裏切らずに「ＹＥＳ」と答えるのは、日本の「常識」なのだろう。

日本人が「ＹＥＳ ＭＡＮ」だとしたら、イタリア人は「ＮＯ ＭＡＮ」にあたるかもしれない。相手に期待されているから絶対に対応しなくてはいけない、という「常識」に縛られず、自分の判断で決めていく。話を聞いた後で、自分なりに仕事ができる「余裕」が極めて少ないと判断すれば、「無理です」と詫《わ》びて断る。これも、日本では「やる気がない」と捉えられてしまうようだが、怠けているのではない。

高額報酬の仕事を断る

数年前、あるイタリア人の友だちに、ある翻訳の案件を紹介してもらった。彼も同じ翻訳家だが、すでに取りかかっている仕事があったため、私に話を回してきた。私も慌しい時期だったが、話を聞くだけ聞いてみた。膨大な量の案件だったにもかかわらず、納品日まで二週間しかなかった。しかし、その分、報酬が非常によかった。よく考えた挙《あげ》句《く》、やはり、他に着手していた仕事の納品があったから案件を受けるのは無理だと思った。

メールでその旨を伝えて断ると、珍しく先方から直接電話が入った。「大至急の案件ですが、ぜひお引き受けいただけますと幸いです」と。それに、「もし報酬が少ないようでしたら、おいくらでしたら受けていただけるか、ご提示くだされば検討いたします」とも言った。

報酬は市場価格より2倍ほど高かったけれど、お金に関わる問題ではなかった。新しい案件を受けることで、すでに取りかかっている案件類をうまく継続できなかったら困るし、受ける余裕がなかった。

ついに相手が何となく納得したところで、「それでは、代わりに誰かをご紹介いただけませんでしょうか」とお願いされた。それくらいはお安い御用なので、本人に連絡して許可を得た上で、イタリア人の友人で同じ分野の翻訳家を紹介した。

　翌日になると、その友人から電話が入った。

「いい案件だったな。あんなにお金をくれるなんて、気持ちはすごく嬉しかったけれど、こっちもすごく忙しいから無理だと断った。そうしたらね、すぐ電話が入って報酬を増やすからと、またお願いされた。お金が少ないからじゃなくて、余裕がないからだよと理由を説明したら、『何だ君たち！　イタリア人は仕事する気がないじゃないか！』と、恨み言を言われたよ。笑っちゃったよ」

　友人の笑い声を聴いて私も笑った。

　無理な時は「無理です」と正直に言える自由。時間などの余裕がない中で案件を請け負うのは、非常に危ないことだ。やる気はあっても余裕がないときは、無責任に仕事を受けるより、断ったほうがお互いに損が出ないと考えたのだ。

「な～るほど！」と、3杯目のハイボールを呑みきったIさんは大声で言う。そして、

「だからアイツは仕事を受けなかったんだ。あんなにお願いされて、あぁも簡単に断れるだなんてすごいな。イタリア人だからそうできたんだろうな。俺がやったら怒られそうだけれど、あははは。ちなみに、無理だと判断しても仕事を受ける、というケースはまったくない

の？」

そんなケースも、もちろんある。それは他人の命が関わる場合だ。

コロナ禍のイタリアで

この原稿を書いている現在は、２０２０年４月の頭。世界は新型コロナウイルスと闘っている最中。母国イタリアでは、感染者数が12万を上回っているのだが、先月より政府が下した外出禁止令のお陰で、感染者も死亡者も徐々に減りつつある（しかし、年末にかけて寒くなったら、感染拡大の第２波や第３波が来るのではないか、と思う）。ウイルスとの激しい闘いの中で、一人でも多くの命を救おうとしているのは、イタリア全土の医者や看護師たちだ。

アンナは、18歳の時に知り合った友人。彼女は看護師として、ロンバルディア州のミラノからそう遠くないＬ市の病院に勤めている。現在、ロンバルディア州の感染者は４万９１１８人、死亡者は８６５６人であるため、イタリアで一番悲惨な状況に陥っている州だ。パンデミックが起きてから、彼女と頻繁に連絡を取り合い、向こうの状況を確かめている。

ある日、やりとりの中で、「無理をするイタリア人」を例示する次のような会話があった。

長くなるが、そのやり取りを、フェイスブックのチャットから借りて日本語に訳してみたい。

「アンナ、元気？　昨日は感染者数の新記録が出たと聞いて、ちょっと心配している」

「Ciao《チャオ》、ディエゴっち！　元気ではあるけれど、いつまで元気でいられるのかわからないね。昨日、同僚の看護師に3人も陽性の反応があって。次に感染するのは誰かって、考えたくなくても、やっぱり考えてしまうね」

「まさか！　それは危ないな！　アンナ、大丈夫？　本当は言いたくないけれど、君には旦那さんと小さい子どもが2人いるし、いざという時、無理しなくていいから……」

「ありがとう、ディエゴっち。いつも心配してくれて嬉しいわ。でも、こんな時こそ、無理せずにはいられない。ここでは人が、蝿《はえ》のようにたくさん死んでいる。情けない死に方で。病院に運ばれて、機械に繋げる暇もなく、そのまま亡くなられてしまう。こんな状況だから、目を瞑《つぶ》ってはいられないの。あたしだけではなくて、ここの病院の皆が毎日無理をしているの。感染が広まる前は、出勤スケジュールによって、月に最低6日から8日まで休んでいた。今は、4日か5日しか休めなくなって。さらに、医師の中には、一日も休んでいない先生たちもいる。毎日出勤。14時間もずっと頑張り続けて、家には帰って、寝るだけ。そしてまた病院に行く。給料は1ユーロも上がらないよ。お金を稼ぐためにやっている、という話ではないのよ」

「彼はもちろん応援してくれているよ。心配しているけどね。私も不安だわ、家に帰るたび。だって、知らないうちに感染して子どもにウイルスを移してしまったら、どうしよう」

「確かに、それもいけない。話が戻るけど、どうやって3人の同僚は感染してしまったんだろう」

「だって、一日中感染者の中にいて、しかもそれが毎日でしょう。ずっと気をつけていても、必ず移らないという数学的な確信は、やっぱりないわ」

「防護服などは十分にある？」

「いや、少ない。マスクも、帽子も。ゴーグルも手袋も。全部少ないの。お手洗いに行ったり、水を飲んだりする時は、一応服とマスクを外すじゃない？　だけど、一度外したものは、もう使えない。防護服なども少ないから、皆はお手洗いを我慢して、水をまったく飲まずに、一日中頑張っているの」

「やっぱり心配だな。これ以上きつくなって、状況が『より無理』になってしまったら、正直なところ、どうするつもり？」

『より無理』な状況になったら、そうね、こっちも『よりベスト』を尽くすつもりよ:-)」

彼女はまさに、「白衣の天使」そのものだ。

イタリア人は、余裕がなければ儲け口になりそうな仕事だとしても断る。その一方で、余裕のまったくないコロナ禍の中で、人の命を助けるためならば自分の命に代えても喜んで無理をする。

余裕を持って行動するのは、決して悪いことではない。しかし、その余裕は度を越すと、逆に悪影響を及ぼすに違いない。イタリア人が思う自由とは、定義通り「なんの強制もなく行動できる状態」。生まれながらそんな自由に慣れているイタリア人は、余裕の程度を保つのに苦労して、実際に保てなくなることが多い。「勝手に行動するイタリア人」というステレオタイプは、そうした「過度」な行動を指して言っているのだろう。

命令を無視して出かけてしまう人々

コロナ禍の現在、他人への思いやりに溢れた行動をとっているイタリア人がいる一方、

「勝手」な行動をとってしまうイタリア人もいる。

　北イタリアで爆発的に感染が拡大したことで、政府は全国に厳しい外出禁止令を下した。休めない仕事があったり、食料を買いに行ったりするための外出は、もちろん許可されている。しかし、その他の理由による外出は、絶対禁止とされている。罰金を科される措置から、最大21年の懲役刑に処する措置まで、外出禁止令を破る者は重く罰せられるのだ。感染拡大を防止するのに必要な対策だと理解しているイタリア人は、親戚や友だちに会いたくても、外出を控えて自宅で大人しくしている。

　ところが、中には、命令を無視して外出してしまう人もいる。

　現在４月の頭に、外出禁止令を破ったことで警察に告発された人の数は、17万３０００人を上回っている。実際にウイルスに感染したイタリア人の数は、約12万４０００人。数字を比較すると、イタリアには「コロナの危機」の他に、「外出禁止が無視されている」という第二の危機もあると言える。外出することによって、自分が感染しているかもしれないウイルスを、町中にばら撒《ま》いて伝染させる危険性がある。あるいは、家を出た自分自身もウイルスに感染する可能性がある。両方とも、もっとも避けるべきシナリオだが、許される正当な理由もなしに家を出る人数は現時点で、感染者数より５万人も多いのだ。どうしてこんな状況になっているのだろうか。

ローマに、警官の親友ドナテッロがいる。緊急事態宣言が出てから、彼は町中を移動する市民を呼び止めて、外出の理由を確かめる職務を全うしている。久しぶりに連絡を取ると、次のような会話があった。

「ディエゴ、信じられない。皆、遊びだと思っているんだよ」

「何が遊びって?」

「外出禁止令のことも、こんな状況のことも。今まで、町で何千人も呼び止めた。そのうちの10パーセントほどは、外出する正当な理由がないにもかかわらず、ただ出かけていた。重い罰金を科されるんだよ。ヘタすると懲役刑になるんだよ。本人は前科者になるんだよ。それでも、国民は暢気に出かけるわけだ。感染しちゃうぞ? ウイルスをばら撒くぞ?」と、彼はビデオチャットでため息を吐《つ》く。

「どうしてそんなことをするんだろうな」と自問する私に彼は、

「理由は、分かるだろう?」

「自己抑制ができないから……」

「それぞれ。『どうせ、出かけるのは一時間だけだから』『どうせ、ウイルスになんかかからないだろう』などなど。そしてウイルスにかかって、警察にも引っかかる。外出はいけないことだという、実感がないんだ」

「ちなみに、勝手に出かけている人たちは、どんな理由があって出かけているの？」

「だから、我慢ができないからだ。面白いことがあったから、いくつか教えようか？」

「ぜひぜひ」

「数週間前、呼び止めた人は『タバコを買いに行く』のだと言っていた。車に乗っていたから、『では、運転免許証をご提示ください』とお願いした。調べたら、彼はローマから何十キロも離れた町に住んでいて、そこから都市に『タバコを買いに』やってきたわけだ」

「あはは、嘘でしょ！　都会でしか販売されない、よっぽど好きなタバコの種類でもあったのかい。それは本当の理由だった？」

「いや。問い詰めたら、『人影のないローマは綺麗だろうなと思って、見に行きたくなった。悪いことをしているとは思わなかった』と、謝った」

「なんだ、ロマンチストだね」

「もう一人、若い男性は、外出禁止令が出る前日に彼女にふられて。メッセージを送っても、電話をかけても、元カノに無視されてばかりいて、淋しくなっちゃって、そのままじゃどうしても耐えられないから、彼女に会いに行こうとした」

「それは可哀想だよ。僕も同じことやったかもな」

「コラお前！　捕まるぞ！　あははは」

「あははは」

「あと、これこれ。昨日、ヴィットーリオ・エマヌエーレ2世通りを散歩していた男がいた」

「で？　何がおかしかったの？」

「裸だった」

「ハ!?」

「そう。裸。全裸。丸出しに丸見え。普通に歩いて橋を渡っていた。これは、僕が目撃した人じゃないよ。誰かが車から目撃して、動画を撮ってネットに上げた。動画、観てない？」

いや、観ていない。冗談だろうと思って調べたら、本当に動画があって驚いた。自由がいくら「なんの強制もなく行動できる状態」だといっても、全裸になって外出できるわけではない。もし読者の中で本動画を観たいと思う人がいたら、その一人の行動からイタリア人すべてのことを誤解しないでください。

大人しく命令に従って外出を控えている。そんな非の打ち所のない人たちもいる中で、一日だけ、数時間だけと我慢ができなくなって、出かけてしまう。抑制ができなくなって、「勝手」な行動をとって「適当」なことをしてしまう。出かけてはいけないと分かっているにもかかわらず、「きっと何も起きないから大丈夫じゃない？」と甘ったれたことを言う自分もいるわけだ。悪気がなくても、自由は「過度」になると、身勝手な行動になってしまう。

私には、アメデオという名の義兄がいる。彼も警官だが、イタリアの感染状況に関して話をしていたら、「グズグズせずに緊急事態宣言を出したイタリア政府はよっぽど肝《きも》が据わっていたと思う。対策の成果も見えてきたし、国として、今回の危機もきっと乗り越えていける。とはいえ、イタリア人にはいつも通り、こんな危機に対応できるような『文化的な備え』がなかったけど」と話していた。アメデオが使った「文化的な備え」という面白い表現は、「完全な

自己抑制ができる」「言われることを言われたまま最後までやる」という慣行（彼の言葉で「文化」）のことを指している。本当にその通りかもしれない。

イタリア人が一番苦手なこと

自由を軸にして行動するイタリア人は、縛られるのが苦手。外から見ると、おそらく、一番苦手なことは「時間を守る」ことだと思う。

前に勤めていたデザイン事務所のW社長に「どうしてイタリア人は遅れがちなのか?」と訊かれて、「時間を計算するのが苦手だから」と私は答えた。実を言うと、その場でとっさに答えが見つからなかったから、冗談で話を流したにすぎなかったのだけど。日本に来たばかりの頃は、遅刻についてあまり深く考えたことがなかったのだが、遅刻が珍しい日本社会にいると、遅かれ早かれ「どうしてイタリア人は遅れるのか」ということについて考えるようになる。

まず、イタリア人の遅刻には2種類ある。15分以内の遅れと、それ以上の遅刻。イタリアでは、10分、15分ほどの遅れは「遅刻」とみなされない。それどころか、約束した時間にぴったり着いたほうが、失礼にあたる場合がある。特に、約束があって人の自宅を訪れる際には、時間通りに行くのはよろしくないと思われている。なぜなら、相手の歓迎する準備がまだ終わっていないかもしれないからだ。そういう場合は、10分ほど遅れて行くのが、社会的慣習とも呼べる正しいマナーだ。

　イタリアの大学にも、同じような慣習がある。「Quarto《クアルト》 d'ora《ドーラ》 accademico《アッカデーミコ》」という、規定上の開始時刻より実際には15分ほど遅らせてレッスンを開始するものだ。時計がなかった昔の人たちは、町に響き渡る教会の鐘の音を聴いて時刻を知った。学生たちには、鐘が鳴ってから、15分以内に教室に着く義務があった。実際にイタリアで始まった習慣かどうか私には分からないのだが、母国では今も施行されているのは確かだ。

　イタリア人はいつも遅れる、というステレオタイプは、この一つ目の遅刻を指して言っているもの。本来ならば、心遣いなり、移動時間を考えるための対策なり、少しだけでも遅れるには何らかの理由があったはずだ。しかし、現在は、理由なく遅れることが「定番」になってしまった。

　二つ目の遅れは圧倒的な「遅刻」。最悪の場合、１時間単位で待たされることもある。こうした遅刻は頻繁には起きないものだ。それは、イタリア人の「習慣」ではなく、単なる個人のクセにすぎない。

例えば、うちの父親は、20分単位で遅れる人。私がまだ実家にいた時の話だが、昼時になると、畑仕事をしている父親に「帰るまであとどのくらい時間がかかるか訊いてみて」と、母親から電話をするようにお願いされた。母親が帰宅時刻に合わせてパスタを茹《ゆ》で上げるので、厳密に教えてもらう必要があったのだ。父親は毎回、「10分後に家に着く」と答えた。しかし、実際に家に着くのはいつも30分後だった。もはや遅刻に慣れていた母親は、どの帰宅時刻を告げられても、電話をかけた時から30分後にパスタを仕上げた。彼の遅刻には悪気などまったくなくて、単なる「見込み違い」だったのかもしれない。

実は、父親の遅刻はまだマシなほうだった。というのも、それよりもっと深刻なケースが他にたくさんあったからだ。

一番深刻な例は、ローマに住んでいる友人のルカ。彼は、私の誕生日会をはじめ、大学の卒業式から来日前の送別会まで、時間通りに現れたことがほぼない。卒業式の日、式が終わって皆が帰る頃に彼は到着した。彼の遅刻にはいつも驚かされた。通称「遅刻マスター」と呼ばれていた彼のエピソードを語りたいと思う。

大学時代のある晩。一緒に出かけるから、ルカが車で迎えに来てくれることになった。

「9時に君のとこに着くから、それまでに準備を済ませておいてくれ」と彼に念を押された。

だが、9時になっても、ルカは来ない。9時半まで待って電話を入れてみると、

「ごめん、もうちょっとしたら着く！　ちょっと待っててくれ」と慌てて言うルカ。

安心した私は待ち続けるものの、10時になってもルカは現れない。

「おい、何かあった？　大丈夫か？」とメッセージを送ってみるものの、返信もなく無視される。

10時半過ぎになると、幾度もかけていた電話にようやくルカが出て、

「ごめん、ちょっと待ってて、もうすぐ着くから」と繰り返す。

「わかった、わかった。何度も電話かけちゃってごめんね。ちなみに、今どこにいる？」

と訊く私に、

「まだ家にいるよ」と答える彼。

その夜、うちに9時到着予定だったルカは、真夜中に現れた。下におりて車に乗ると、

「ごめん、ごめん。気づいたらこんな時間になっちゃって」と、詫びの言葉をくれる。

ここ数年は、彼の遅刻のレベルが「圧倒的」から「若干」に改善された。「何があって時間を守ろうと思ったの？」とその理由を探ってみたら、「いや、あの夜の遅刻で悪い思いを

させて良心が咎《とが》めたからだ」と答えてはいたが、その真相やいかに。

イタリア語には「ゆるみ」がある

行動だけでなく、イタリア人の言葉からも、ある程度の自由と「ゆるみ」が感じられる。イタリア語は厳しい文法に縛られているにもかかわらず、言葉自体をわりと自由に使える。だから、その言葉から漂ってくる意味合いや想見、発想が自由に、無限に膨らんでいく。

イタリア語の「ゆるみ」に初めて気づいたのは、東京外国語大学に留学していた時だ。

夏のある日、先輩のKさんと大学キャンパス界隈《かいわい》を散策していた。彼女はチェコ語学科だったが、イタリア語も話せたので、二人でよくイタリア語での会話を楽しんでいた。下を見ながら歩いていた私は、突然足を止めて、彼女に「Guarda《グアールダ》, una《ウナ》 stella!《ステッラ》」と地面を指差しながら言った。しかし言葉の意味が伝わっていなかったようなので、今度は日本語で「見て、星だよ!」と改めて言い直してみた。

Kさんは、戸《と》惑《まど》った表情をして、私が指している地面を見つめていたが、星を見つけられずに「え? どこ?」と尋ねた。「ここですよ」と私は近づいて指し示した。我々が歩いていた歩道は、様々な色と形をしている石の欠片《かけら》で舗装されていた。Ｋさんは「星」に気づくと、すかさず「あ、それは違いますね」と指摘した。「日本語ではこれは、星とは言えない。『星のような形をしている石』と言うんですよ」。私がてっきり冗談でも言っているのではないかと思っていたら、彼女は頬を緩ませることもなく、真顔で私を見つめていた。

　イタリア語にも、「星のような形をしている石」という言い回しは、もちろんあるのだが、その表現はなんともくどく、しつこく聞こえる。形が星にさえ見えたら、わざわざ遠まわしな説明をしなくても、「星だ」と言うだけでそのまま通じる。理解できる筈《はず》なのだ。どうせ、地面に本当の星があるわけではないからだ。Ｋさんと散歩したその日に、イタリア語における言葉の使い方と、言葉から膨らむ発想には「ゆるみ」があることに気づいた。

　日本語と英語を話せるようになってから、私は「自分が操《あやつ》る言葉に操られてしまう」という、言葉と性格の相互関係を知った。使う言語によって、単語だけではなく、言語を使っている人の性格まで変わっていくのだ。

　例えば、謙譲語や尊敬語が存在する日本語は、気遣いや心遣いを表す言い方に満ちている。しかし、似たようなものがないイタリア語には、同じ分野の表現はそこまで多くはない。「お疲れ様」「ご苦労様」「ご馳走様」といった日本語は、イタリア語では、一語文に訳すことができない。原文と同じ意味合いを伝えるため、「Grazie《グラッツィエ》 per《ペル》 ～」（「何々にありがとう」）という、場合によっては不自然に聞こえる言い回しを使わざるを得ない。

よって、日本語で話す時の私は、畏《かしこ》まった態度をとっているし、格式張っている。だが、イタリア語で喋っている時は、思うことをストレートに伝えるので、そこまで儀礼的な私ではいられない。どちらも私だが、その場で使っている言語によって、また別の自分が現れるわけだ。

「操る言語に操られる」――。縛られるのが苦手な、イタリア人が話すイタリア語は、そこまで厳密に言葉の意味や発想を縛らない言語。これも多分、単なる偶然ではないかもしれない。

イタリア語に染み込む「大げさな表現」

「でも、イタリア人の言葉はいつも過度だね」

誰に言われたのかもはや忘れたが、日本人に言われたのは覚えている。「度が過ぎる」。なぜ、過度だと思われたのだろう。イタリア人の言葉は、なんの「度」、誰が決めた「度」を越しているのだろう。相手に何も答えられなかった私がいた。しかし、日本語に慣れていくにつれて、徐々に日本語の視点からイタリア語のことを考えられるようになると、イタリア語の「度を越す」表現について、面白い発見をした。

コロナ禍の現在。最近、イタリア人の言葉は日本でも話題となった。日本のメディアは、新型コロナウイルス特集の一環として、イタリアの感染状況に関する映像もよく放送している。その中で、イタリアの知事や市長たちが、市民に向けて怒号を放っている映像特集もあった。外出禁止令を無視して、海沿いで卓球で遊んだりする無責任な国民に対して非難の声を上げるのは、不思議なことではない。むしろ、民間人的感覚が働いている証だ。日本で紹介された映像の中には、カンパニア州のデ・ルカ知事が放送したメッセージもあった。知事の言葉を、そのまま引用させてもらう。

「卒業パーティーをしている者がいると聞いた。火炎放射器を持った軍警察を送る」

16歳になってからテレビを観ないことにしている私は、日本の番組を観ていなかった。放送直後に日本人の知り合いからもらった連絡で、知事のメッセージが話題になっていることを知った。

「イタリアの警察はマジ危ないよ」

「日本も火炎放射器を用意したらいいかも。イタリアに見習うべきだ！」

いったい何のことなのか、理解できなかった。だから、まずは何の話だと相手に尋ねてみた。すると、一人がスマホで撮った写真を送ってくれた。画像には、発表中のデ・ルカ知事の発言の字幕のところに、火炎放射器による例の威嚇《いかく》の言葉が書いてあった。

私は、知事の言葉に凄く笑った。が、二人の知り合いは、知事が真面目に、本気で発言していると思ったらしい。イタリアの軍警察が実際に火炎放射器を使っているかいないか、私には分からない。しかし、たとえ脅迫的行為でも、卒業パーティーをしている若者に対して火炎放射器を持った軍警察を送るなんて、残忍な独裁政治ではない限り、まさかありえないだろう。そう説明してあげると、「冗談だったんだね！」と一人は安心し、もう一人は「イタリアではこんなジョークを言っていいの？」と、不快感を露《あらわ》にした。

結論から言うと、はい、イタリアではこんなジョークを言ってもいい。たとえカンパニア州知事であっても。イタリアの元首相シルヴィオ・ベルルスコーニがカメラの前で語った数え切れないジョークを覚えている読者もきっといるだろう。

もちろん、せめて政治家は、真面目な態度を示してほしいという国民の声は多い。ところで、デ・ルカ知事の発言は冗談ではなく、正確に言うと「大げさ」な表現だ。「物事を実質以上、事実以上に語る」大げさこそが、イタリア人の言葉の特徴の一つ。

そう望んでいない時も大げさな言い方をしてしまうくらい、イタリア語には大げさな表現が染み込んでいる。

一つ例を挙げると、イタリア語では、礼や感謝を伝えるために「grazie《グラツィエ》」という言葉を使う。日本語に訳すと「ありがとう」。しかし、相手に対する感謝の気持ちが大きい時は、「grazie《グラツィエ》 mille《ミッレ》」という、一層上の言い方をする。「Mille」は「千」を意味し、直訳すると「千回もありがとう」となる。感謝の気持ちが、心からの感情だったら、一度だけ相手に伝えたら十分だろう。「ありがとう」という言葉は、何度も繰り返して伝えると逆に空気が重くなったり、居心地を悪くさせたりするので、ほどほどに使うべき言葉だ。「千回も」ありがとうと言われ続けたら、誰だって途中から嫌になったり、その言葉を信じなくなるに違いない。たとえ感謝を表している言葉だとしても、「度を越している」のだ。

そして、「grazie mille」をはるかに超える言い方もある。それは「grazie《グラツィエ》 infinite《インフィニーテ》」という、「無限にありがとう」を意味する言葉だ。「たった」千回で疲れるならば、「ありがとう」は決して無限に言われたいものではないだろう。もちろん、「grazie mille」と「grazie infinite」という言い方は単なる表現にすぎない。しかし、これが大げさめいた表現だということは疑いなく分かるだろう。

もう一つ、イタリア人なら誰もが知っている（そして使う）大げさな言い方がある。この言い方は、子どもなら誰もが両親に浴びせられた、叱咤《しった》の言葉。「Te《テ》 l’ho《ロ》 chiesto《キエスト》 cento《チェント》 volte《ヴォルテ》」。訳すと「もう百回も頼んでいるんだよ」。これももちろん、言葉通りの意味ではない。すでに2～3回ほど息子に何かを頼んでいる親は、まったく無視されていて、堪忍袋《かんにんぶくろ》の緒が切れてしまいそうになる時点で、「Te l’ho chiesto cento volte」と言って子どもを脅かす。これも大げさな言い方。

「逃げ道」が生まれる言い方

「うん、分かった。そういうことなんだね。でも、大げさに言うメリットはどこにあるんですか？」と、個人レッスンの途中でHさんが質問した。Hさんは、私のもとでもっとも長くイタリア語を習い続けてくれている生徒だ。練習として、私の大好きな桐野夏生氏をはじめ日本人の作家の短編小説をイタリア語に訳しているくらい、彼の語学力は高い。

「そのメリットは、喧嘩するとき分かるものですよ」と答えると、彼の顔が少し曇る。

イタリア人はよく口喧嘩をする。イタリアでは、思っていることを「抑制」なく伝えることこそが、個人の自由だと思われている。ぬるい喧嘩をする時もあれば、非常に熱く喧嘩に燃える時もある。

数年前の年の暮れに、イタリアに帰って地元の友だちと年越しした。皆であんなにも楽しい時間を味わうのは、本当に久しぶりのことだった。ところが、0時になる数十分前に、友だちのカップルが喧嘩し始めた。互いに酷《ひど》い言葉を投げつけ、こんな非難を浴びせていた。

「あなたが私の猫を蹴ったとき……」

「何を蹴ったって！　たまたま尻尾を踏んだだけだろう？　それより、君は俺のことをいつも間抜けって呼んでるじゃん」

「それは、読めない中国語のサイトでiPhoneを買って家に届いたのが箱だけだったから。あなたを間抜けと呼んだのはその時だけでしょう？　何でいつもって言うの？」

私たちは、二人の喧嘩を見てずっと笑っていた。

「え！　どうして笑ってたんですか」と、エピソードを聞いていたHさんが私に質問する。

なぜなら、二人の喧嘩は、大げさな言葉のせいで、本気の悶着《もんちゃく》より、むしろお笑い芸人のコントに似たようなものだったのだ。
「大げさに言うのは、『嘘』と勘違いされることもあるけれど、イタリア人の感覚からすると、偽言とは関係ない話ですね。嘘は、事実を隠すために都合よくつくものだ。だけど、大げさな表現は事実を明かすためのものだと、母国では思われている。不本意ながら尻尾を踏んでしまったことと、わざと猫を蹴ったこととでは、言うまでもなくまったく異なる。だけど、『私の猫を蹴った時』という言い方をすることで、猫を飼っている彼女がそのシーンを見て、実はどんなにつらい思いをしたのかが我々に伝わってきた。同じように、たった一度だけ『間抜け』と呼ばれた彼は、『いつもそう呼ばれている』と、わざわざ大げさな言い方をすることによって、ずっと不快な思いをしていた事実が彼女に伝えられた。つまり、大げさな表現のお陰で、二人はお互いの本心を打ち明けることができたんだ」

母親の「もう百回も頼んでいるんだよ」という言葉も同様だ。大げさめいた言い方をすることで、母親の堪忍がそろそろ限界に達していて、怒る直前だという、相手の本当の気持ちが私まで届いたのだった。「卒業パーティーをしている者がいると聞いた。火炎放射器を持った軍警察を送る」と言ったデ・ルカ知事の言葉も、新型コロナウイルスによる全国の危機がいかばかり深刻かと、大げさな物言いをすることで効果的に、分かりやすく伝えられた。

「そして、そのカップルはどうなった？　結局別れた？」とHさんが訊く。
「いや、新年を迎えるとともに、仲直りをしてイチャイチャし始めていた」
「すごいな！　今度、奥さんと喧嘩する時、うちも大げさな言い方をしてみようかな」と笑う。

しかし、それはいいアイデアではないような気がした。イタリア人の大げさな言い方は、日本人にはあまり通用しないように思う。日本では、大げさな表現は「嘘」や「虚偽」と勘違いされることがほとんどだからだ。が、それらは嘘ではなく、わざと「過度」に言っているにすぎない。大げさな言葉は「法外」だからこそ、イタリア人の喧嘩を聞いていると笑える。だけど、日本人は本気で喧嘩するから、あまり笑えないかもしれない。

イタリア人同士が互いに投げつける非難の言葉は、本当のことでありながら、同時に大げさでもある。厳しい言葉にもかかわらず、笑って

しまいそうな言い方をすることで、どこかに「仲直りへの逃げ道」のような隙間が空く。言い換えると、イタリア人は「仲直りするために喧嘩する」とも言える。イタリアでは、子どもの時に周りにそう教えられる。

幼稚園や小学校で、仲間と喧嘩すると、その場で絶対に仲直りするようにと先生から指摘を受けた。すると徐々に、頭の中で「喧嘩＝仲直り」という考え方になっていく。たとえ酷い喧嘩をしてしまっても、イタリア人は仲直りできないということが決してない。

私は、19歳の時、地元の友人ダヴィデと喧嘩してから、一度も連絡を取り合わずにいた。が、31歳の時、12年越しの仲直りをした。最後に会ってから干支《えと》がまるまる一回りして、かなり長い時間が経ったにもかかわらず、二人の関係がいったん止まっていたところから自然に再び動き出した。

口喧嘩して、どんなに酷いことを言い合ったとしても、まだ仲直りできる余地がある。あの時の言葉を、お互いに打ち消して忘れることができる。そういう意味では、イタリア人の言葉は「打ち消せる」ものだと言える。日本語だと、言葉を「打ち消す」ことは滅多にできない気がする。「大嫌い」の例を見てみよう。

イタリア語と日本語における「大嫌い」

個人的な意見だが、日本語でもっとも破壊力のある言葉は「大嫌い」だと思う。喧嘩の最中に、日本人の彼女に「あなたのことはもう大嫌いだ」と言われたら、言った本人は本当にそんな気持ちでいるに違いない。「大嫌い」とは、二人の恋愛関係にもう先がないと告げる、絶対的な言葉。二人の関係に幕を降ろすラストワードの如きものだ。

逆に、イタリア語で、同じ意味の「ti《ティ》 odio《オーディオ》」（「大嫌い」）は救いにもなる言葉だ。喧嘩中に言われる「ti odio」は、実際に恋愛関係に幕を降ろそうとしている時もあれば、関係改善の幕を開けようとしている場合に使われることもある。相手のことが、実は、まだ好き。嫌いになってほしくないけれど、このまま続くと、きっと嫌いになりそう。そんな結末を避けるため、愛情が完全に憎しみに変貌する前、「ti odio」と相手に伝える。感情が高ぶっている時の「ti odio」は、大げさなものだ。しかし、大げさめいたその一言を聞いた相手は、カップルとして上手くいっていないのだと、ようやく目が覚める。その自覚が、関係改善の開始地点となる。

日本で冷静に言われる「大嫌い」には、関係の改善ができそうな隙間はない。イタリアで、騒がしい喧嘩の最中に投げつけられる「ti odio」には、仲直りに至る道も見えるのだ。本気とは違う大げさ。イタリアの大げさな言葉は「ゆるい」ので、打ち消せる。まるで緩んだ輪ゴムのようなものだ。輪ゴムは、本来ならば髪の毛を強く縛ったり、何かを固定するためのもの。しかし、ゆるくなった輪ゴムで髪を束ねても、その効果はあまりない。ゆるくなった輪ゴムの固定力は弱くて、すぐに外すことが可能だ。「打ち消せる」力をもったイタリア語の特徴は、これによく似ている。

２２００年前からの伝統

「もう一つ訊いてもいいかな？　イタリア人の大げさな言い方は、ずっと前からあるものなんですか」。イタリア語を母語話者のレベルでマスターしようとしているHさんは、純粋な興味から質問する。

「はい、ほぼ２２００年前からあるものです」。そう答えると、彼はまさに吃驚《びっくり》仰天していた。確かに、イタリアでは大げさな表現をする「伝統」が昔からある。イタリア共和国が生まれるずっと前、古代ローマ時代から絶えることなく続いているものだ。大げさな表現をここまで立派に育ててきたのは「Satira《サーティラ》」という、「風刺」だった。

風刺とは、実在の人物、組織、社会、政治などの、矛盾した言動を暴《あば》き出す文芸ジャンルだ。古代ギリシャに始まったとされる風刺は、紀元前3〜2世紀、古代ローマ時代にジャンルとして法典に編纂《へんさん》された。

「Satura《サトゥラ》 quidem《クイデム》 tota《トタ》 nostra《ノーストラ》 est《エスト》」、「間違いなく、風刺は全部我々のものだ」と有名な修辞学者のマルクス・ファビウス・クインティリアヌスも自慢するくらい、ローマ帝国の人たちは風刺に対してプライドを持っていた。風刺は、攻撃対象とされる相手の欠点や罪悪を、冷静な皮肉で過激に描写することによって、相手の矛盾した言動を示し、その正体を暴く。そんな風刺の目的は、相手の「言動改善」にある。

風刺が過激に描写するのによく使う道具の一つが、大げさ。例として、私のもっとも好きなローマ帝国の風刺詩の詩人、マルクス・ウァレリウス・マルティアリスが書いたエピグラムを二篇ラテン語から訳して紹介する。

Cum facias uersus nulla non luce ducenos,
Vare, nihil recitas. Non sapis, atque sapis.

(LIBER VIII, XX)

「ヴァールスよ、君は毎日二百行も詩行を書いているものの、
一行も朗読していない。頭が良くないと同時に、頭がいいのだ」

(第8巻、20番)

このエピグラムから判断すると、ヴァールスは、よほど才能に恵まれない詩人だったようだ。「毎日二百行も詩行を書いている」というディテールは、もちろん大げさな表現だ。事実ではない。ヴァールスは、物凄《ものすご》く向いていない詩作に無理やりに励んでいる、と捉えるべきだ。そして、盛りだくさんの詩（行）を書いているものの、ヴァールスは一つも発表していない。才能がないにもかかわらず、一所懸命、詩作に励んでいるヴァールスは、頭がいいとは決して言えない。が、価値のない詩を人前に発表しないところからすると、かえって頭がいい人だと判断することもできる。マルティアリスの毒舌は剣にも勝《まさ》るのだ。

大げさにも程度がある。風刺詩を愛していた古代ローマ人は、その詩作を最大限まで高めた民族だった。同じマルティアリスのエピグラムの中から、もう一篇挙げてみる。

Zoile, quid solium subluto podice perdis?
Spurcius ut fiat, Zoile, merge caput.
(LIBER II, XLII)

「ゾーイルスよ、どうしてお前はお尻を浸《ひた》して浴槽の水を汚《よご》す？

もっと汚したいのなら、ゾイールスよ、君は頭を浸すべきだ」

（第２巻、42番）


ゾーイルスは、人間でありながらの生理的欲求を果たす自分のお尻より、汚いことを考える頭のほうが「汚れている」人物だったようだ。このように大げさな表現を使用することで、ゾーイルスがいかほど汚い人だったかが、明白に伝わってくるのだ。

「いやぁ～ローマ人は本当にやばかったんだね！」と少し赤面してHさんが言う。

確かに、そうかもしれない。

しかし、現代のイタリア人も、古代ローマ人に比べて、それほど大きく変わっていないような気がする。自由な言動をするし、たまに自由が行き過ぎてしまうことがある。こうしたイタリア人の特徴は、古代ローマ人の祖先から引き継いだＤＮＡに刻まれているのだろう。

第2章 誤読の人間関係

「出会いがない」は日本ならではの表現？

人間関係を成り立たせるために欠かせないのが「〜し合う」という相互関係だ。話し合う。分かり合う。愛し合う。支え合う。そして、時として、争い合う。一言で言うと、それは「かかわり合う」ということだ。人間関係は常に、「人とかかわり合う」ところから始まる。日本語では「人間関係」という言葉は、「人と人の間の関わり／係わり」と書く。つまり人間関係とは「人とかかわり合う」ことを指している。

「かかわり合う」という言葉の意味を考えつつ、イタリア人が「人間関係を作るのに秀《ひい》でた」民族であるということを、この第2章で掘り下げていきたいと思う。

「人と人とがかかわり合う」とはどういうことだろうか。我々人間は、同じ人類であるにもかかわらず、一人として同じ人間はいない。国の習慣や環境といった、様々な文化的背景を持っているからだ。異なる人格を持つ我々は、たとえ同じ国、同じ町で生まれ育ったとしても、日常生活では必ずしもいろんな人とかかわり合うとは限らない。

例えば、一人で行った映画館で、偶然隣の席に座った人と同じ空間で映画を観たとしよう。

あなたは、偶然隣り合った人とその場で打ち解け、仲良くなるだろうか。ほとんどの場合、隣に誰が座っていたのかも気にせずにその場を後にするのではないだろうか。

私の周りの状況を見てみると、日本人の友人には特に未婚者が多い。20代、30代、40代と年齢に関係なく、結婚をしていない人が多いのだ。

彼らに、結婚に興味はないのかと尋ねると、「いいや、もちろんそんなことはない。ただ相手がいないだけ」との返答。

さらに、どうしてパートナーをつくろうとしないのかと尋ねると、「単純に出会いがない」と答える。

「出会いがない」。この言い回しは、日本ならではの表現ではないかと思う。来日して初めてこの表現を耳にした気がする。イタリア語には「出会いがない」といった言葉、あるいは感覚は存在しないように思う。だから、初めてそれを聞いた時、それはただの言い訳にすぎないのではないかと、正直思った。もちろん「運命の出逢い」というのであれば、話は別だけれど。

この場合のそれは、そんな大げさなものではないだろう。世の中、我々の周りは会ったことのない人々で溢れている。本来なら、「出会い」はどこにでも溢れているはずなのだ。

むしろ、人生は「出会いだらけ」と言っても過言ではない。電車で、コンビニのレジで、コーヒーショップのカウンター席でなど、そこには必ず「出会い」がある。我々の生活は、常に出会いの機会に恵まれているのだ。同じ電車に乗った年配の方、レジの後ろに並んだ女性、隣でコーヒーを飲む男性、こうした偶然の巡り合わせもまた、出会いの一つと言えるだろう。

　しかし、こうした一瞬の出会いでは、関係がなにも進展せずに終わってしまうケースが非常に多い。なぜなら、「出会う」ことと「関係を築く」ことは別だからだ。出会ったからといって、何らかの関係に必ずしも繋がるわけではない。

　仮に、乗っていた電車が事故で何十分も停車したとか、並んでいるレジの列がまったく進まず、買い物カゴに入っているアイスクリームが溶けやしないかと心配している最中にも、我々は黙って運行が再開する、あるいはレジの列が進むのを待ち続けることしかできない。

もしカフェでコーヒーを飲みながら、自分が退屈を感じているのと同じように、隣の席の人が退屈を感じていたとしても、互いに壁に貼ってあるメニューを繰り返し読むほかにすることが何も見つけられない。このような場合、イタリア人なら、こんな状況から抜け出るために、相手に声をかけてしまう。

イタリア人の人間関係① お喋りが好き

「イタリア人は知らない人にも声をかけると聞いたけれど、それは本当？　お喋りがそんなに好きなの？」（Mさん、30代）

はい、イタリア人が知らない人によく声をかけるというのは本当です。そう答えると多くの人たちは「え！」っと驚く。

とはいえ、見ず知らずの人には、やたらに声をかけたりしない、という日本人的な考え方も分からなくもない。しかし知らないから話しかけないという考え方は、ちょっと極端に思えてしまう。

そもそも、私たち人間には、生まれながらの知り合いなどほとんどいない。両親や兄弟姉妹と親戚くらいではないだろうか。それ以外の関係は、ほぼすべて生きていく過程で築いてきたもの。声をかけたり、かけられたりすることで、作ってきた関係なのだ。

子どもの頃の私たちは何の躊躇もせず、幼稚園の中庭や小学校の教室で相手に話しかけ、友だちや仲間を作ってきた。自分には友だちがいっぱいいる、ということが幸せの一つであり、自慢の一つでもあった幼少時代。

では、どうして大人になると、こうも閉鎖的になり、知らない人に声をかけるのをためらってしまうのだろうか。

その点イタリア人の多くは、大人になってからも、それをためらわない民族と言えるだろう。電車が止まると「あぁ、またこれだ。イタリアの電車は、こうしたところが最低だな。あなたもそう思わない？」と、隣の乗客に話しかける。お互いぶつぶつと不満を抱えて孤独な退屈をもてあますよりも、知らない相手でも、声をかけて、会話をしながら時間を過ごしたほうが、いくらかその時間が楽になるとの考えからだ。

こうした会話によって、他者との距離が縮められていく。会話が始まり、話が弾《はず》めばその場でSNSなどを交換し、それが継続していく場合もあるというわけだ。プライベートや仕事の関係でよく母国に帰る私もまた、ローマから地元のプーリア州へ走る電車に乗るたび、隣の人と会話する。自分が話しかける場合もあれば、もちろん逆もある。年齢や性別を問わず、それがきっかけで連絡先を交換したり、友だちになるケースも少なくない。イタリアに帰るたび、知人や友だちの数が増えていく。

　そして、話しかけることにより、単なる「出会い」は「関係」へと変化する。イタリア人にとっては、これが毎日のように起こる普通の出来事なのだ。基本的には、友人関係へと発展することが多いのだが、まれに、恋愛関係に変化することもある。

　そんなわけで、イタリア語には「出会いがない」という感覚、言い回しはほぼ、存在していないと言えるだろう。イタリア語を勉強している日本の皆さん、和伊辞典で「出会い」あるいは「出会う」の語を引いてみてほしい。そこに、「出会いがない」という例文は、載っていないと思うから。

　世の中には会ったことのない、面識のない人たちが溢れている。だからこそ、我々は常に「出会い」に恵まれている。しかし、その好機《チャンス》をつかむか、つかまないかは自分次第。イタリア人は、多少の個人差はあっても、どちらかというとつかむ傾向にある人種なのだと思う。

イタリア人の人間関係② 距離感ゼロ

「知らない人に話しかけるのって、下心があるように思われそう」（Mさん、30代）

面識のない人に声をかけられて、会話の流れでは、結構踏み込んだ私生活の話になることもある。人によっては、それをプライベートの侵害だと感じるかもしれない。しかし、イタリア人の感覚では侵害しているつもりでもなければ、もちろん悪気があるわけでもない。

そもそも、なぜイタリア人は気軽に知らない人に話しかけるのだろうか。その答えは、イタリアの人々の多くが生まれながらにして「距離感ゼロ」の人間だからだ。

イタリアの人たちは基本、相手とほとんど距離を置かない。イタリア人同士は、知り合ったばかりでも、名乗る時にまず握手をしてお互いの手を握り合う。そして、一緒に過ごした時間がたとえわずかであったとしても、別れ際には挨拶として頬にキスを交わし合う。女性同士も、男女でも。そして、もちろん、男性同士でも。では、どうしてイタリア人はそこまで相手との距離を、すぐに縮めるのだろうか。

人間関係を築くのに必要なものは、間違いなく信頼関係ではないかと思う。信頼というものは、話し合うことによって得られるものだ。しかし、言葉だけでなく、相手の心を読み解くには他にも手段がある。その一つが「握手」だ。

例えば、初対面の相手でも、手と手が触れ合う握手によって、相手の意志や心境を確かめることができる。イタリアに「Una《ウナ》 fredda《フレッダ》 stretta《ストレッタ》 di《ディ》 mano《マーノ》」（伊：冷たい握手）という言葉があるように、イタリア人は相手と触れ合うことで、自分に対する相手の思いを測る。手を握り、もし自分に対する相手の思いが好意的ではないと感じた時、それは「冷たい握手」と捉えられる。

考えてみると、ビジネスの場面でも似たような手法がとられる。デリケートな商談を行う前、初めて顔を合わせたビジネスマン同士は、まず握手をする。それは単なる握手ではない。手を握る力を通して、相手に対する信頼性や意志の堅固さを測り、判断材料とするのだ。

日本人同士の場合、初対面の場面では、距離を置

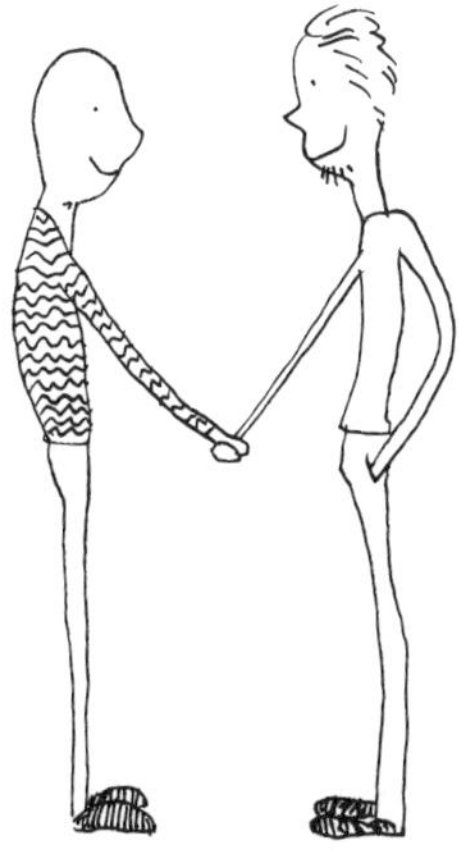

いてお辞儀をするのが礼儀であり、握手はせずに名刺を交換する。そして決して相手の手には触れないように気を付けなくてはいけないなど、名刺の渡し方には細かなルールがある。「距離感ゼロ」のイタリア人と違って、日本人は「距離感ヒャク」と言えるほど、相手との距離を保つことを大切にする民族なのだ。

イタリア人の人間関係③　スキンシップが多い

「イタリアに留学して一番びっくりしたのは、スキンシップが多いイタリア人が、日常的に身体《からだ》を触ったりボディータッチをしてくることだった」（Aさん、20代）

一年ほどイタリアで遊学していた日本人の女友達がそんなことを言っていた。

「身体を触ったり」と読んで、彼女が何らかの性的な被害に遭ってしまったのでは、と驚いてしまった読者もいるかもしれない。幸いなことに、わいせつな行為のエピソードではない。

「知り合ったばかりなのに、肩や腕に手をかけられたり、手を取られてあちこち連れていってもらったり。私が間違ったイタリア語を使って何かおかしなことを言ってしまった際には、頭を手でポンポンと優しく叩かれたり。これは、日本人からするとありえないよね」

　まさに、日本人からすると、こういった行為はありえない。場合によっては「セクハラ」と勘違いされるかもしれない。しかし、イタリア人からすると、こうしたちょっとしたスキンシップは単なる「人間としての触れ合い」にすぎず、それ以上の意味は特にないのだ。

　これは、言葉による「バーバル・コミュニケーション」とは別の、「ノンバーバル・コミュニケーション」だ。表情や、手振りなどのジェスチャー、スキンシップは、意図的または非意図的な情報の伝達をするための重要な手段になる。落ち込んでいる相手を落ち着かせるために、「大丈夫だよ」と単に声をかけるか、相手の肩に手を置いて優しく撫《な》でながら「大丈夫だよ」と伝えるか。どちらも同じ言葉だが、その効果は比べものにならないほど違う。その理由は、身体が触れることで、言葉では足りない、生物の持つ「温《ぬく》もり」までが相手に伝わるからなのだ。

　ある意味、身体は「感情の温度計」のようなものではないかと思う。以前、私に起きたエピソードだが、友人と遊びに出かけたある夜、私に対する友人の態度に違和感を覚えたことがあった。どんな会話をしていても、友人の発言はどこか無愛想で、私が「大丈夫？」と尋ねても、友人は「別に大丈夫だよ」と答えるだけ。本人がそう言うのであれば、その言葉を信じるのみで、変な雰囲気を感じつつも、その言葉を疑ってもしょうがない。言葉だけでは、相手の気持ちを徹底的に確かめることはできないように感じた。

そして、今度は肩に手をかけながら「本当に大丈夫？」ともう一度尋ねてみた。すると、友人は強い不快感を露にした。それで私は、やはり友人が私に対して何らかの嫌悪感を抱いているのだと確信した。言葉は、必ずしも常に正直ではない。しかし、身体は嘘をつかず、本心を表現するものなのだ。

「最初は、とっても違和感があって、居心地がよくなかったの。でもローマに滞在してからしばらく経ったある日、友達と話していた時に、気がついたら私、いつの間にか無意識に、その友人の腕に触れていることに気がついたの。びっくりしちゃった！　でもね、相手に触れることになぜか、まったく違和感がなかった。当然のことのように友人の身体に触れていたの。今は、もはや会話しながら話し相手に触れるのは、決しておかしなことではないと思っていて。触れ合わないほうが逆になにか変なんじゃないか、と思い始めちゃった（笑）」

「なるほど。経験を通して自分の視点が変わってきたわけだね。もしよかったら、今聞かせてくれたエピソードを本に書かせてもらってもいいかな？」と確認すると、「本当に？　うれしい！　ぜひ載せて！」と、私の腕をポンポンと叩きながら彼女は温かく答えていた。

イタリア人の人間関係④　敬語を（あまり）使わない

「私は会社の社長ですよ。それなのに現地のイタリア人のビジネスパートナーは、私に敬語を使わず話してくる。それって失礼な話じゃない？」（Ｋさん、60代）

身体に触れるスキンシップのみならず、イタリア人の特徴とも言える「距離感ゼロ」は、イタリア語にも表れているようだ。

日本語には、話し手との関係性を表すための言語表現がある。絶対的な上下関係を位置づける尊敬語、謙譲語や、丁重語、丁寧語、美化語のような、「敬語」などだ。しかし、それらを意識的に区別して使っている人は、さほど多くないように思う。我々は日常生活で、この特別な言語表現をほぼ無意識的に使い分けているのだ。

「お父様」と「父」、「カミさん」と「妻」、「貴方」と「君」。呼び方によって、相手との関係や立場が明らかになるほか、話し手の感情も伝えることができる。機嫌が悪い妻が、自分の夫に尊敬語で話し続ければ、相手にはとてつもない距離感や冷たさを感じさせる。はっきりと言われなくても、夫婦関係には何らかの問題が生じているというわけだ。使われる言葉の雰囲気でそれを感じさせることができるのだ。

現代のイタリア語には、日本語ほど厳しい上下関係の表現はない。上下関係がまったくないと言ったら嘘だが、イタリア語の場合、言葉によって示される関係性は、そこまで細かくない。もちろん、相手に対して敬意を表す言葉があるにはあるのだが、日本語のような謙譲語や丁寧語と言えるものはほとんどないのだ。

イタリアでも、相手に対して尊敬語を使うことはあるが、へりくだることはまずない。初めて日本語の謙譲語に出会った時、どうして母国語にも同じようなものがないのか、と考えたものだった。

世界の各言語はそれを操る民族の特性を、鏡のごとく映し出している。つまり、日本語には日本人の性格や日本社会の仕組みが映し出されていると言える。同様に、イタリア語はイタリア人の特性を映し出しているのだ。では、謙譲語がないイタリア語は、イタリア人のどういった特性を表しているのだろうか。イタリア人は、なぜ日本語のような謙遜の表現を用いないのだろうか。

「それはどうしてだと思われますか？」と尋ねる私に、Kさんは、

「さて、どうしてでしょうね。傲慢《ごうまん》さの表れなのでしょうか」と答えた。しかし私は、別の理由があるのではないかと思う。おごり高ぶった人々は、へりくだることもなければ、相手に対して敬意を払うことも、それを表現するなんてことも、決してしないだろう。

「相手のことをまるで煽《おだ》てるかのように、故意に自分が下手《したて》に出る」――イタリア人の感覚からすると、この考え方は何か変なのだ。「故意に自分のことを低く見せざるを得ない状況というのは、果たして相手が本当に敬意を払うべき対象と言えるのだろうか」と。

　もし相手が偽りの偉大な存在だったとしよう。そこで、あえて自分を卑下するというなら分かる。しかし、相手の価値が本当に誉《ほ》め讃《たた》えられる、尊敬に値する存在であるなら、あえてへりくだらなくとも、相手の存在はすでに「尊敬」に値するのではないだろうか。イタリア人にとっては、「度を越さないものは美徳」であり「度を越す」ものはあまり良く思われない。だから、相手を煽てる目的でへりくだった態度をとるというのは、程度を越した不自然なものとされ、決して良く思われないのだ。敬意を示す時は、へりくだることなく自然に示せば良いと思われている。

イタリアでももちろん、初対面の人や、目上の人たちを敬うべきだと教わる。「尊敬すべき」という言葉は、広義ではあるが、基本的に「相手に対して礼儀正しい行為と発言で接するべき」を指示している言葉だ。買い物帰りに重そうな荷物を運ぶ年配の方に遇《あ》ったら、手伝いましょうかと声をかけるべきだとか。階段を降りるのに苦労しているお婆さんがいたら、手を差し伸べるべきだとか。そして、その場合には尊敬語を使って話すべきだと教わる。

日本語に比べると、イタリア語の尊敬語は簡単だ。具体的に説明すると、普通に喋る時は、話し相手に対して2人称単数の「tu《トゥ》」（日本語では「君」）を使う。しかし、話し相手が初対面の人や、目上の人の場合、尊敬語を使って3人称単数の「Lei《レイ》」（日本語では「貴方」）で会話する。イタリア語は、人称（及びその単数、複数）が変わるに伴い、それに関連する動詞も変化する。「Tu《トゥ》 bevi《ベヴィ》 dell’acqua《デッラックア》?」（「君は、お水を飲みますか?」）という文章は、尊敬語を使うと「Lei《レイ》 beve《ベヴェ》 dell’acqua《デッラックア》?」（「貴方は、お水を召し上がりますか?」）に変わる。変わるのは人称と動詞の語尾のみ。

ウェイター「さあ、今日は何を食べる？」
駅の係員「チケット渡すの忘れちまった」

しかし残念ながら、日本語ほど難しくないイタリア語の敬語は、ここ数十年前からあまり使われなくなってきている。イタリアに帰るたび、この悲しい現実に直面する。レストランでも、電車の改札口でも、郵便局の窓口でも、どこへ行っても敬語で話す人は、ほとんどいない。初対面にもかかわらず、仕事中の係員やウェイターに幼馴染かのような口調で話しかけられるのだ。


「さあ、今日は何を食べる？　なんでも美味しいよ、うちの飯屋は」とウェイター。

「あれ、チケット渡したっけ？　あ、ごめんごめん、忘れちまった」と、駅の係員。

3人称単数の「Lei」ではなく、ずっと2人称単数の「tu」で話しかけられる。

30代の私に、年下の若者たちもまた、なかなか敬語を使ってくれない。特に驚きを隠せなかったエピソードがある。ある日、知らないメールアドレスから突然連絡が入り、迷惑メールかと思いながらメールの中身を確認してみた。すると、送り主は共通の友達の紹介で連絡してきた18歳の高校生だということが分かった。彼は、高校を卒業したら日本の言語学校で日本語を勉強したいようだった。

「日本には知り合いがいないし、英語が分からないから、日本の言語学校のホームページが読めないんだよねー。そもそもどうやって日本に行けるのかさえ、わかんないんだよ」と軽くてカジュアルすぎる口調の文面には、敬語は一切使われていなかった。加えて、メールの最後の一行には、

「だから、ちょっといろいろ力になってくれないかな」と書いてあった。

読んだ途端に唖然《あぜん》としてしまった。面識のない人に突然メールを送ってきたうえに、失礼な言葉で厚かましくも一方的に自分の要望だけを伝えてくるなんて、「今時の世間知らずの若者は」なんて括《くく》りでは片付けられない、信じられないことだった……。

相手への思いやり？

そもそも、なぜ最近のイタリア人は敬語を使わなくなってしまったのだろうか。

先ほどの「身体に触れる」話もそうだったが、イタリア人は、相手と信頼関係を築こうとする。日本語と同様、イタリア語でも敬語は人と人との間に距離感を生むものだ。話し相手

と距離があればあるほど、信頼は得にくくなるもの。それゆえ、最初から相手と距離を置かずに、つまり敬語に頼らずにコミュニケーションをしたほうが信頼関係を築きやすいということなのだろう。これもまた、「距離感ゼロ」らしいイタリア人の行動なのかもしれない。壁があると人の心に触れにくい。だから、それをなくすことで人の心に近づきやすくし、信頼関係を作りやすくしているのだ。

「ディエゴ、Leiを使って人とコミュニケーションをとると、相手の気持ちが引いていくよ」と話すのはイタリアに帰るたび、お互いに時間を作って必ず会うローマの親友、ファウスト。我々は美しいローマの夜に、一緒に食事をしたり、遊びに行ったりする仲だ。

ファウストは顔が広く、とても社交的な人物。20代の頃から、毎晩のように違うパーティーや様々なコミュニティーの集まりに顔を出す、人脈の広い人物だ。最後にイタリアに帰った時も、彼に連れられて、まったく面識のないある女性の誕生日会に行った。その会には30代の参加者は私しかおらず、他の人はすべて年長だった。ファウストに紹介してもらった人たちに敬語で話そうとしたところ、「Leiを使わないで」と一人一人に言われてしまった。

「君はまだ若いから分からないかもしれないが、もう50代になった僕らや、60代の人たちは、若者に敬語を使われたくないんだ。気を遣ってほしくないんだよ。その理由が分かるかい？敬語を使われると、こちらが歳《とし》をとったように感じられて、若者との間に隔たりを感じるんだよ。もちろん、もういい歳だっていう事実は、受け入れるべきなんだけどね、あははは」

なるほどな、と思った。年上の方に尊敬語で話すべきだというのはイタリアの一般的な教育だが、人によっては敬語を使ってほしくない人がいることを、初めて知った。イタリアで敬語が使われなくなっている理由は、むしろ相手への思いやり故なのかもしれない。そもそも、尊敬語を使わないことは、相手を敬っていないからではない。社交の王様ファウストに、また一つ大きな社交術を教わった。

イタリア人の人間関係⑤　建前と嘘

「どうせ、イタリア人にだって建前があるだろう……」（Tさん、40代）

イタリア人は敬語に頼らず、お互いに気を遣わず話すので、思っていることはなんでもそのまま、単刀直入に伝える。正直に話せるお陰で、建前ではなく、常に本音を出すことができる。もちろん、そうではない時もあるが、イタリア人は、建前と本音がほとんど一致していると言えるだろう。「建前」と「嘘」の境界線が、非常に曖昧なのだ。

キリスト教の国であるイタリアでは、「嘘は非難すべきもの」「真実は誉め讃えるべきもの」だと考えられている。子どもの頃、母と行った町の教会で神父さんに「嘘をつく子どもたちは天国に行けない」とよく言われた。好奇心の塊のような子どもだった私が「それは、大人もですか？」と神父さんに尋ねると「基本的には、そうだね」と困った顔をしていたのを覚えている。

イタリアの児童文学者カルロ・コッローディが著した、世界中で有名な物語『ピノッキオ』の童話にも、「嘘をつけばつくほど、偽りの世界に飲み込まれていく。事実だけが人を救う」という教えがある。イタリアの小学生は、誰もがこの童話を知っている。

言うまでもなく、イタリア人がまったく嘘をつかないというわけではない。人間である以上、綺麗事だけでは片付けられずに、嘘が避けられないこともあるだろう。しかし、生きる手段として、よほどのことがない限り、真実を優先する人たちが、イタリアには多いように思う。

「常に事実を語るべきだ」という倫理的な方針は、イタリア語にも表れている。イタリア語には「Patti《パッティ》 chiari《キアーリ》, amicizia《アミチーツィア》 lunga《ルンガ》」という諺がある。その意味は「約束を守れば友情は長い」。だが、このフレーズの意味をより理解するために、一度直訳をしてみようと思う。すると「約束が明らかであれば友情は長くもつ」となる。

この「明らかであれば」という言葉は、説明してきた「距離感ゼロ」に繋がるものだ。互いに信頼し合い、良好な関係を長く続けていくには、何も隠しごとをせずに常に「明らか」にすべてを話す必要がある。言い換えると、友達にせよ恋人にせよ、相手に対して常に正直でいるべきだと。そのようにして育てていく関係こそが、間違いなく長続きする。

「イタリア人って、本当に正直だから、よかったよ。向こうで何度も助けてもらった」と、日本人の友だちは語る。

「いろんなエピソードの中でね、これが一番面白かった。イタリアを旅した時、ローマ・テルミニ駅界隈のレストランに入ってカルボナーラを注文しようとしたんだ。そうしたら、『正直、ここのカルボナーラは、それほど美味《うま》くはないよ。値段も高いし、だったら他の料理にしたほうがいいと思うよ』と、若い男性のウェイターが言ってきたんだ。もう笑っちゃったよ！　自分が働いているお店の愚痴をこぼすぐらい、正直な人だった。結局、カルボナーラはやめて、違う料理にしたら、その料理は本当に美味しかったんだ。帰国前の最後の夜だったから、助かったよ。不味《まず》いカルボナーラで残念な思いをしないで済んだんだから、そのお兄さんには、本当に感謝している」

モノは、壊れたら捨てるのではなく、直すもの

甘い嘘よりも、苦い真実を好むイタリア人は、相手に伝えるべきだと思うことを、そのままストレートに伝える。代わりに、相手の意見を求める時は、お決まりの文句ではなく、本当に思っていることをフィルターなしに聞かせてくれと求める。時には「度を越さないもの

は美徳」という教えを忘れてしまい、正直過ぎる言葉のせいで摩擦が生じることもある。

もちろん、友だちだからといって何でもアリなわけではない。友情関係にも恋愛関係にも、程度や限界というものはある。ただ、イタリア人の場合、その限界値ははるかに高いように思う。たとえ大喧嘩をしたとしても、「もう絶交だ。絶対に許さない！」となることが、わりと少ないのだ。二人の関係に入ってしまったヒビは、多くの場合、修復可能なもの。お互いがそのつもりでさえいれば、修復できない関係はない。そして、改善したその関係は、以前よりもずっと強くなっていく。

実は、これは父方の祖父に教わったことだ。アンジェロお爺さんは、よくヨランダお婆さんと喧嘩をしていた。当時16歳だった私が

「そんなに喧嘩ばかりするのなら、なぜお婆さんと離婚をしないの？」と訊くと、

「どうしてか知りたいかい？　モノはね、壊れたら捨てるのではなくて、直すものなんだよ」と微笑《ほほえ》んで答えてくれたアンジェロお爺さん。

アンジェロお爺さんのその言葉は、死ぬまで忘れられないだろう。周りのイタリア人の友だちや知人の経験を聞くと、あの言葉が真実だったと感じさせられる。

以前、ローマにいたもう一人の旧友、ルカと大喧嘩をして、仲が悪くなったことがある。

二人の関係はもはやここまでだろう、と淋しい思いをしていたところ、ある日「ちょっと会ってゆっくり話でもしないか?」とメッセージがきた。その直後にルカと会い、一晩かけて、胸襟を開き話し合った結果、仲直りすることができた。ヒビが入って壊れそうになっていても、二人とも関係を諦めたくはなかった。まるで金継《きんつ》ぎのように、破損部分を新たな「精気」で接着し、友情関係を「修復」したというわけだ。そうして修復した二人の関係は、今も純金の如く眩しく輝いている。

仲直りをするには、勇気と力がいる。意地を張るのではなく、謝る勇気と、謝罪を受け入れる力。振り返って考えてみると、イタリア人は、本心を優先することによって、平等にかかわることのできる「空間」を作り出しているのだろう、と改めてそう思った。

イタリア人の人間関係⑥　一人でいるよりグループが好き

「好きなイタリア人の彼と何度も二人きりで会おうとしたんだけれど、彼はいつも友だちと一緒にいたがるの。一人で出かけたくないみたいに、いつも友だちといたがってい

た」（Aさん、30代）

古くは日本もそうだったのかもしれないが、かつて同じ町に住む人たちは、だいたい皆知り合いで、支え合ったり、助け合ったりして暮らしていた。

10代の頃、私の地元の南イタリア・プーリア州では、夏になると、人が道端に集まっていた。誰かが自宅の前に長いテーブルを出すと、近所の人たちが自然にそこに集まってくる。椅子や、食べ物と飲み物を持参すれば、誰もがその場に大歓迎されるのだ。そうして、皆で仲良く喋りながら晩御飯を楽しんでいた。夏の夜に町を歩けば、あちらこちらでそんなふうに集まっている人たちの光景に出くわした。

時代が変わるにつれて、今ではそういった集まりはもはや、どこの町にも見かけなくなってしまった。しかし、形は変わったものの、人々が集まって楽しく過ごそうとするのは変わらない。イタリア人は、二、三人で出かけることもあるが、多人数で遊びにいくことのほうが多いように思う。多人数で出かけることを、イタリア語で「in comitiva《イン コミティーヴァ》」（和語：「集団で、グループで」）と言う。よほどの一匹狼でない限り、どの人にも comitiva の友だちがいて、平日の夜か週末に comitiva として皆で出かける。レストランやパブで食事をしたり、散歩に行ったり、映画館でヒット作を観たりしながら、一緒に時間を過ごす。

日本人の友だちの中には、そういった「集団行動が苦手」な人が多い。その理由を訊いたら、「人に合わせたり、気を遣うのは大変だから」「何かをするなら、一人でやったほうが楽だから」という答えがほとんどだった。これは、イタリア人と正反対の考え方だ。「らく」と「たのしい」という言葉は、同じ漢字で「楽」と書く。にもかかわらず、その意味はまったく異なるのだ。

一人か二人でいるよりも、comitivaで遊んだほうが盛り上がって楽しい。喋るのも笑うのも大好きなイタリア人は、人がいればいるほど、話し合ったり、笑い合ったりできると考える。自分のcomitivaがあるのに、集まらずに一人ぼっちで時間を過ごすのは無意味なこととしか思えない。

Comitivaは自分のファミリーのようなもの。気楽な時だけでなく、悲しい時も頼りになるcomitivaのメンバー同士は、まるで家族の一員のように

支え合ったり、助け合ったりする。昔、近所の人たちがやっていたことと同じなのだ。

しかし同じグループだからといって、皆が同じ考えを持っているというわけではない。サッカーの試合の結果にせよ観てきた映画にせよ、意見が合う時は一緒に盛り上がるし、合わない時は、無理やりに自分の意見を押しつけるのではなく、それぞれの意見を交換し、見解を述べる。それは何が正しいのかを決めるためではなく、相手の意見を詳しく聞かせてもらうためにそうするのだ。

自分が思いつかなかったことを相手が考えているかもしれない。相手の言葉から学ぶことがあるかもしれない。話を聞いて、自分の視点が変わるかもしれない。逆説めいて聞こえるだろうが、自分を知るための必須条件は、他人の考えに触れることなのだ。相手が自分自身を映し出す水面のような役目を果たし、それに映し出された己を見て、自分のことを振り返り、改めて自分について考えさせられるのだ。意見を交換して、自分になかった、あるいは足りていなかった考えを徐々に発見していくというわけだ。

一つのグループだからといって、皆が好みを一つに合わせて同じ行動をするのではつまらない。興味や趣味はバラバラでよいのだ。なぜなら、一つの comitiva は種々様々な意見の源のようなものだから。しかも、こうしたバラバラの意見やものの見方は、摩擦ではなく、幸いなことにメンバーの「成長」に繋がっていく。相手の話を聞くことで自分と異なる知識を得たり、新しい意識を増やしたりできる。comitiva という「親善なる空間」の中での交流によって、自分の内面の未熟さを克服し、互いに人間的に成長することができる。

それこそが、comitiva によるもっとも大きな利点。もちろん、時にはメンバーとの関係が悪くなることもある。しかし、こうした摩擦は意見の衝突というより、態度によって生じる場合が多い。失礼な振る舞いや乱暴な発言のせいで、相手に対する信用が失われることが大半だ。

「きっと私のことをつまらないと思っていたよね？」と悲しげな表情で友だちが言った。

「どうして、そんなことを言うの？」

「だって、二人きりで会おうとしても、彼はいつも、私を comitiva のところに連れていったから」

「君はそれで、彼が君と一緒にいるのがつまらないと思ったって？」

「ええ。普通、そうじゃない？」

「いや、そんなことないと思うよ。本来、仲間じゃない人を comitiva の人たちに会わせることは、なかなかしない。それは自分のファミリーに会わせるのと同じだから。相手のことを、よっぽど大切に思っていなければ、ファミリーに会わせないだろう？　だから、逆だね。彼もきっと、君のことが好きだったんじゃない？」

「……え、そうだったの?? ああ、もっと早くその答えを知りたかった！」と、友だちは溜息をついた。

人と人を繋ぐ「点」と「線」

すでにお分かりの通り、イタリア人は社交にこだわる民族と言えるだろう。面識のない人に声をかけて、敬語という社交バリアを張らずに人に近づく。イタリア人は相手との触れ合いを求める民族なのだ。しかし、その「触れ合いたい」という根源的な動機は、どこから生まれてくるのだろうか。

それを考えた私は、突如、数学のある原理を思い出した。古代ギリシャの数学者アルキメデスが残した言葉だそうだが、「点と点との間のもっとも短い距離は一直線だ」と。人間の場合も、そうかもしれない。

人々は、生まれながら散り散りバラバラになっている。孤独な「点々」の如く。

孤独から抜け出たいと思う人は、周りにいる無数の人に繋がるしかない。

そして、他人に繋がるためには「線」が必要だ。

では人間の場合の「線」とはいったい何なのだろうか。

「線」になるのは、口。それによる発言ではないかと思う。

そして身体と、それによるジェスチャー。

つまり「バーバル・コミュニケーション」と「ノンバーバル・コミュニケーション」が必要なのだ。

　人と話し合い、お互いに意思疎通を図った結果、相手と自分との間に、目には見えない「一本の線」が生まれる。その線は、「絆《きずな》」と呼んでもいい。

　しかしながら、世の中には、相手との「線」を早く作ることのできる人たちと、時間をかけてゆっくりとしか作れない人たちがいる。または、上手く作れる人たちと、作れない人たち。多くの「線」を作れる人と、一生頑張っても線一本すら作れない人。そして「直線」が作れる人と「曲線」しか作れない人。「曲線」は「点と点との間のもっとも短い距離」とならない。線がくるくる曲がっていればいるほど、点と点との間の距離は増える一方だ。

とすると、イタリア人はおそらく「もっとも短い線」を作る能力にたけた民族なのかもしれない。

知らない相手に声をかける。初対面でも、初めから敬語を使わない。知り合ったばかりにもかかわらず、自然に相手の体に触れる。生まれながらにして「距離感ゼロ」の人間であるイタリア人は、できるだけ曲がらず、言い換えると時間を無駄にせず、さっさと相手と「直線」を引き、絆を結んでいく。

人間は、独りでこの世に生まれて、独りでこの世を去る。だからこそ、人生という拡がりのなかでは、できるだけ多くの仲間と過ごしたいと望むのかもしれない。短い時間で、できるだけ多くの仲間を作り、一緒に楽しく人生を送る。そうして人生を仲間と分かち合えば、孤独の辛さも軽くなっていくだろう。イタリア人が人と積極的に繋がろうとする理由は、きっとそこにあるのだろう。

第3章

誤読の恋愛関係

「変な日本語」と「本当の日本語」

現地へ行かずして、外国語を勉強すると、どうしても出会える言葉が限られてくる。私はイタリア、ローマ大学で日本語と日本文学を修学した。当時は、日常会話の基本的な単語と、現代ではあまり使われない純文学的な単語にしか触れる機会がなかった。日本語の教科書に載っている語彙《ごい》、教師が授業中に使う単語、森鷗外や芥川龍之介の文体を彩る雅語《がご》――私が覚えた言葉というのはそのくらいだった。

言うまでもなく、教師が話す日本語は綺麗な言葉だけで、先生たちの発言の中には「変」な言葉は決して登場しなかった。もちろん、教科書の月並みな言葉遣いの中にも、そういった「変」な単語は出てこなかった。

ここで私が「変」と呼んでいる言葉は、大学での日本語学習にはあまり相応《ふさわ》しくない（とされている）俗語や、性的な意味合いを持ちそうな単語のことだ。振り返ってみると、大学で教わった日本語は綺麗ではあったのだが、20代の若者同士が実際に使いそうな言葉ではなかった。

「本当の日本語」に出会ったのは、来日してからのことだった。来日当初は、毎日が初めて聞く言葉の連続だった。日本人と喋れば喋るほど、聞いたことのない単語に襲われて、辞書を頼りに言葉の意味を何度も確認したものだった。次第に、投げかけられる言葉を通して、日本人の彼らが、イタリア人である私のことをどういうふうに思っているのかが、少しずつ見えてきた気がした。初耳の日本語の中でも特に多かったのが、恋愛にかかわるものだ。第３章では、その幾つかを例に挙げながら、イタリア人の「誤読される恋愛」を掘り下げていきたいと思う。

日本で初めて聞いた言葉①　ナンパ

２０１１年の秋に、東京大学大学院の留学生として来日した。それは、２００８年の東京外国語大学への留学に続き、私にとっては二度目の日本留学だった。

到着した便が遅かったこともあり、三鷹市新川にある東京大学三鷹国際学生宿舎に着いた時には、国際留学生向けのウエルカムパーティーはすでに終わっていた。寮の皆からの歓迎のひと時を味わうこともできずに、到着するなり、早速留学生の登録手続きに向かった。書類が山ほどあったのだが、チューター（指導員）が手伝ってくれたお陰で、終わりの見えずにいた書類の記入は、思ったよりもスムーズに進んでいった。チューターは日本人の、一つか二つ年下の女子学生だった。

偶然にも同じ専門分野だったことから会話が弾み、一つ一つ細かい手続きをやりながら、お互いの好きな文学について話が盛り上がった。二人で盛り上がっていると、「まだですか」と、突然後ろから他のチューターの男性に声をかけられた。

「イタリアからの学生さんは到着が遅かったので、手続きがまだ終わっていないんです」と彼女が答える。「そうだったのか。てっきり、ナンパしているから時間がかかっているのかと思ったよ」と鼻で笑いながらその男性が言った。

私はその時、初めて〝ナンパ〟という言葉を聞いた。

「ナンパとはどういう意味ですか？」と尋ねる私に、隣に座っていたチューターの女性が「本当は知っているんでしょ？」とニコニコしながらそう答えた。

やっとのことで手続きが終わり、ようやく自分の部屋に案内された。荷解きして、すぐにスーツケースから電子辞書を取り出して「ナンパ」という言葉を引いた。

軟派② 女性と交際したり、服装に気をつかったりすることを好む態度。また、そのよ

うな人

〝ナンパ〟の意味を調べた私は項垂《うなだ》れた。どうしてそういうふうに思われたのだろうか。ナンパのつもりなどまったくなかったのに、どうしてそう思われてしまったのだろう。その時点では、答えは分からずじまいだった。しかもその悩みは、これから幾度となく出会うことになる「誤読」の幕開けにすぎなかった。

イタリアにいた時、「ナンパ」という日本語は一度も、読んだことも、聞いたこともなかったし、もちろん日本人の教授が使うこともなかった。そして、当時ローマ大学に留学していた日本人の学生たちが使っているのも聞いたことがなかった。

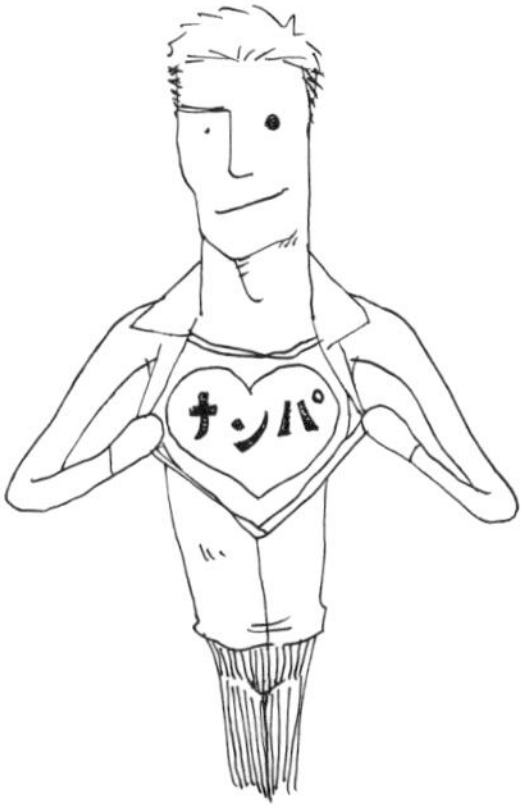

しかし、来日したあの日から、私は数え切れないほど、何度も何度も「ナンパ」という言葉に出会った。いや、むしろ、出会わせられたと言うべきだろう。

パーティーで普通に女性と喋っていると、「今、ナンパしていたの？」と、他の誰かに言われる。何らかの理由で女性に声をかけるたびに「また、ナンパしようとしているんだから」と、二言目には、そのように言われてしまう。大学なり、パーティーなり、バイトなり、どこに行っても「ナンパしている」と、周りから思われてしまう私がいた。

しかし、いったいどうしてそのように受けとられてしまったのだろうか。私は、知らぬ間に、ナンパしたくて堪《たま》らないというオーラでも放っていたのだろうか。いや、そんなことはないはずだった。だとしたら、男性だからそう思われたのか。あるいは、外国人だからか？その答えは、会話の中の「君はイタリア人だからね～」にあった。要は、私がイタリア人だからナンパしている疑いを蒙《こうむ》っているらしい。月日が経って、ようやく、謎が解け、私はとてもスッキリした。

〝特別ナンパ禁止令〟

引っ越しをした友人が、ホームパーティーを開くというので私を誘ってくれた。彼の周りには外国人の友人が多く、私の他に、ドイツ人の男性、イギリス人、そしてインド人もパーティーに参加していた。

そのパーティーで、他の外国人４人と一緒に、ゲストと談笑をしていたのだが、初対面の人と話していると、なぜか私だけが「彼女には、もう彼氏がいるからナンパしないでネ」と言われた。もちろん、こちらにはそんな下心もなく、話し相手を誘惑しようとも、誘おうとも思っていなかった。その場の会話以上に、彼女に対して何か特別な興味を持っていたわけでもなかったので、ドイツ人の男性を例に挙げて「なんでセバスチャンには、同じことを言わなかったの？」と私が尋ねると、「だって、彼はドイツ人で真面目。でもあなたはイタリア人だからね〜」との答えが返ってきた。

「イタリア人＝ナンパ」なのだ。同じヨーロッパのドイツ人もイギリス人も注意されなかったのに、イタリア人の私だけに「特別ナンパ禁止令」が出されたのだった。もちろん、その「ナンパしないでね」という一言は、本気ではなく、単なる冗談にすぎなかったのだろう。しかし、どこへ行っても、どのシチュエーションでも、同じ冗談を言われるのだ。たとえ冗談でも、繰り返されると、そのうちに、笑えなくなってくる。

日本では「イタリア人はいつでも、どこでも、ナンパをする民族」だと思われているらしい。その既成概念はどこから来ているのだろうか。その答えは「メディア」なのではないかと思う。

生存競争の激しい芸能界では、売れるようなキャラクターを作り出すことが、大事だとされている。本来特別なスキルを持った芸能人、タレントさんは、己の能力に頼って活動していく。しかし、時としてそれが不足している場合、他とは異なるキャラクターを作り上げ、己の存在をアピールしなくてはならない。

しかし、これほどたくさんの芸能人が活躍するこのご時世、注目を集めて人気になる、つまり売れるキャラクターを確立するのは、なかなか難しいだろう。そこで、海外出身の外国人のタレントさんの場合、ゼロからそのキャラクターを作るよりも、自国の国民性を押し出した既存のステレオタイプを利用することが多いようだ。そもそも人々のイメージする像を演じるほうが、たとえそれが偽りだったとしても、周りの人たちには受け入れてもらいやすいというわけだ。

こうして、日本で活動しているイタリア出身のタレントさんたちは、「オンナ」「ナンパ」「チャラい」といったキーワードをネタに、テレビ番組によく出演しているように思う。メディアで、少人数のタレントさんの演じるキャラクターは、まるであたかもすべてのイタリア人を象徴しているかのように、捉えられている。聴衆は、タレントの演じる姿を、そのまま、その国の国民性と勘違いしてしまうようだ。

数年前、イタリアの某大手企業が企画した、あるネット配信番組に参加する機会があった。その番組の司会は日本のお笑い芸人だったため、番組の雰囲気もお笑いっぽいものだった。毎回交替で、日本に滞在しているイタリア人が紹介されるという番組内容だった。

私の担当する回が来て、その某大手企業の企画担当者は、「ディエゴさんは日本語が上手なので、いい対談ができそうで楽しみです。なので今回くらいは、ナンパなどの女性ネタは控えていただいて、もう少しディープな話をして下さい」と司会のお笑い芸人に頼み、彼もそれを了解していた。

しかし、番組が始まってみると、最初の質問は「ディエゴさんは今、何人彼女がいるんですか？」「あなたの奥さんも含めてですか？」というものだった。私が笑顔のまま若干嫌味っぽく返答すると、司会の彼は、その後の番組内では、女性以外のテーマで話を進めた。

もはや習慣になってしまったが、「ナンパ」という一言が飛び出すたびに、私は「どうしてイタリア人男性は女性に対して、不真面目だと思うのですか？」と相手に尋ねてみることにした。「だって、モデルの○○○さんとか、タレントの○○○さんとかはそうでしょ？

結局、イタリア人はみんなそうなんじゃない?」という答えが一番多い。やはり、テレビや雑誌の影響が大きい。

言うまでもなく、エンターテインメント界は、あくまでも聴衆の快楽のために存在している。国民的なステレオタイプを「流用」して人を笑わせるのは、エンターテインメントの一つの在り方だ。だが、芸能人は単なる役者であり、我々が観ているものは「演技」にすぎないことを、忘れるべきではないと思う。それは、あくまでも彼らのキャラクターにすぎない。それと人間の本質を見分けられなくなると、偏った知識がついてしまう恐れがあると思う。

日本で初めて聞いた言葉② 口説く

この言葉もまた、日本に来て初めて聞いた言葉だった。どこかの集まりで、女性と会話していたら、隣に立っていた男性に「さっそく口説いているんですね! さすがイタリア人」と言われた。口説いているとは何だろう。スマホでその意味を確認し、説明を見た瞬間に、またかと思った。この動詞のもとの意味は「説得する」だが、イタリア人の私に対しては「女性に言い寄る」という意味で使われていたようだった。

お喋り好きなイタリア人は、無口でじっとしているのが苦手。第2章にも詳しく書いたが、イタリア人は「距離感ゼロ」の民族であるため、知らない相手にも気軽に声をかけて会話を始めてしまう。異性だけに限らず、もちろん同性の相手にも「平等」に声をかけて、お喋りをする。ただ平等と言いながらも、相手が女性だと、男性の態度が変わるケースもある。男性は、同性に対しては、気を遣わずに喋るのだが、女性に対しては、多少気を遣ったり、優しい言葉をかけたりすることがある。日本人の多くは、この「雰囲気の違い」をおそらく口説いていると勘違いしているのではないかと思う。

しかし、実際は口説いているわけではないのだ。どうしてイタリア人の男性は女性に対して特別に気を遣うのかということを、これから説明していきたいと思う。

私には、二つ下の妹がいる。子どもの頃、彼女と喧嘩をすると、両親に叱られるのはいつも兄である私だった。どの家庭でも、兄弟喧嘩は好ましいことではない。しかし、私が怒られた理由は、妹が私たち家族の一員だからだけではなかった。彼女が年下だからというわけでもない。女の子である妹と喧嘩をした、それこそが怒られた理由だったのだ。

イタリアでは、家庭、学校、そして教会で、男性は女性に対して、いつも優しくすべきだと教えられて育つ。これは下心からではなくて、女性は常に大切にされるべき存在だという教えなのだ。家族や身内の女性のみならず、見知らぬ女性の場合でも、如何《いか》なる女性に対しても失礼な、または不適切な言葉を使ったり態度をとったりしてはいけないと教える。ましてや、女性に対して怒ったり、女性を泣かしたりするのは、男として面目を失うことだと。イタリア人は、子どもの頃からこういった教育を受けているのだ。

そんなふうに教えられて育つイタリアの男性は、必然的に、女性に対して特別な気遣いをするようになる。見返りや、下心を持たず、相手に優しい言葉をかけるというのは、決して悪いことではないと思う。

例えば、時間をかけて念入りに新しいピアスを選んだ女性は、「素敵なピアスですね。お似合いです」と言われれば、嬉しい気持ちになるに違いない。女性だけでなく、男性だって、自分の身につけているものを誉められると、嬉しくなるだろう。相手が嬉しい気持ちになることに喜びを感じるイタリア人は、相手に優しい言葉をかける。それは、下心があってナンパをしようとしているわけでも、誘惑するために口説いているわけでもない。イタリア人の男性にとって女性は、常に「特別な存在」なので、特別な気遣いをしているのだ。

「特別な存在」と聞いて、あまりよく思わない読者もいるかもしれない。以前、イタリア語を習っている女性の学生さんに「あなたたち男性は逆に、上から目線で女性のことを見下しているんじゃないの?」と言われたことがある。彼女は、「sesso《セッソ》 debole《デーボレ》」という言葉を知って、イタリア語への情熱が冷めるくらい不快感を覚えたらしい。

イタリア語では、男尊女卑や、男性優位を思わせるような誤解を招きやすい言いまわしが幾つかある。そのうちの一つが、彼女が指摘した「sesso debole」という言葉だ。イタリア語では、男性を「sesso《セッソ》 forte《フォルテ》」と呼び、女性を「sesso debole」と呼び分けることがある(直訳すると「強い性」が男性を、「弱い性」が女性を意味する)。

これは、軽蔑めいた言い方に聞こえるかもしれないが、イタリア語の辞典にも載っているように、冗談や皮肉を言う時に使われる表現なのだ。決して、女性を蔑視する言葉ではない。意地悪気味ではあるのだが、女性を軽視したり、傷つけたりする目的では使われない。むしろ、この言葉が含んでいる本当の意味は、弱々しい男性のことを、あえて強いと皮肉を込めて呼んでいることなのでは、と思っているイタリア人が多い。

それでは、「女性は特別な存在」という発想は、どこから来ているのだろうか。世界中に知られているように、イタリア人の男性は、誰よりも自分の母を愛慕《あいぼ》する。イタリア人の男性にとって、人生で一番大切な人は母であり、母親との絆こそが、もっとも重要なのだ。

しかし、ここで忘れてはいけないのは、母は親である前に、女性だということ。そこから、イタリア人は、女性に対して特別な「愛情」を抱くようになったのではないだろうか。この愛情は、もちろん性的なものではなく、純愛や敬愛のようなものだ。これこそが「女性は特別な存在であるため、常に大事にすべき」というイタリアの教育の原点なのではないか、と思う。

女性への優しさはイタリア男性のデフォルト

外から見ると、イタリア人は女性に対して下心があるように見えるかもしれない。しかし、実際にイタリアに住んでみれば、そうではないと分かるだろう。女性に対する優しさは、イタリア人男性の「デフォルト」なのだ。

ローマ大学に在学していた時の話だが、同じ学部に日本人の留学生が何人かいた。授業は別だったので、そうそう頻繁に会うことはなかったのだが、時々、お昼の時間が重なったり、ジェラートを食べに行ったりすることがあった。ある日、留学生のKさんとジェラートを買いに行った時、彼女がお店に入ろうとしたところで、私がドアを開けて「お先にどうぞ」と手でジェスチャーをした。そうすると、彼女は「イタリア人はなんて優しいの！　日本だったら、誰もドアを開けてくれないわー！」と微笑んで言った。

べつに私はKさんに特別な好意を抱いていたからドアを開けてあげたわけではなかった。彼女もそれが分かっていたから「イタリア人はなんて優しいの」と一般論的に言った次第だ。イタリア人の男性が、女性に対して優しい態度をとったり、優しい言葉をかけたりする理由は、昔ながらの紳士的行為のようなものだ。イタリアに滞在すれば、どこの国の人でもそれに気づくだろう。もちろん、中にはナンパを目的に優しい言葉をかけてくる人も、たまにはいるかもしれない。しかし、確率からすると、ナンパ目的で声をかけられる機会のほうが、明らかに低いのではないかと思う。

日本で初めて聞いた言葉③　タネウマ

この話を書いている今も、思い出し笑いをしてしまって、笑いを噛み殺せない。それは、上野界隈の

地味な居酒屋で行われた宴会に参加した時のことだった。その場で知り合った人と次のような会話をしていた時、

「イタリア人は、みんなタネウマなんだって？　すげぇなぁ」

「タネウマ？　それは何ですか？」

「いや、あのさ、イタリア人はセックスが上手いから、タネウマだって言うじゃない？　凄いなぁと思ってさ。〝イタリアのタネウマ〟って言葉があるぐらいだもん。すげぇよなぁ」

その人の話している意味がまったく分からなかった私は、スマホで「タネウマ」という言葉を探した。

……へ!?

〝イタリアのタネウマ〟という言葉は、その後も度々聞くことがあった。種馬は、繁殖用、または品種改良用の牡馬《おすうま》のことだから、〝イタリアの種馬〟という表現は、「イタリア人はお盛んであり、セックスが非常に上手い」と連想させるのだろう。しかし、この言いまわしの本当の由来は、そもそもはセックスとまるで関係のないものだ。そして、イタリア人の国民性ともまったく関係のない話なのだ。

ご存知の方も多いと思うが、「イタリアの種馬」（英語ではItalian stallion）は、１９７６

年のアメリカ映画『ロッキー』で、シルヴェスター・スタローンが演じた主人公ロッキー・バルボアの呼称なのだ。

　面白いのは、この呼び名が、たまたま選ばれたものではないということ。じつはスタローンの父親は、１９３０年代に南イタリア、プーリア州からアメリカに移住しており、当然のことながら息子であるシルヴェスター・スタローンも、イタリア人の血を引き継いでいる。苗字のStallone（イタリア語の読み方では「スタッローネ」）はイタリア語で、まさに「種馬」を意味する。イタリア人の血が流れ、「種馬」を意味する苗字から、彼は自分自身を隠喩《いんゆ》して、自分の演じる架空のキャラクターに「イタリアの種馬」というあだ名をつけたのだ。なのでこの言い方は、イタリア人のセックス観にかかわるものでもなんでもないのだ。しかし、映画『ロッキー』を観たことがなければ、勝手な想像をしてしまい、間違ったイメージが独り歩きしてしまうのも分かる気がする。

　確かに、世界では「イタリア人はセックスが上手い」と言われることがあるようだが、それはどうしてだろうか。この（過大）評価は、「Italians do it better」（「イタリア人は一番上手くやっている」）という格言から来ているのかもしれない。日本人の中にも、この名言を聞いたことがある人がきっといるのではないかと思う。これは、イタリア人がもっとも誇りに思っている格言の一つかもしれない。

そもそもこの言葉は、かの有名な世界的歌姫のマドンナが言い始めたという噂だ。「あのセックスシンボルのマドンナが言うなら、間違いなく事実なんだ」と、世界各国の人々はしぶしぶ事実として受けとったようだ。が、この名言が生まれた背景を探ってみると、もっと「甘い事実」に辿り着く。

１９８６年に発表された曲「パパ・ドント・プリーチ」のプロモーションビデオで、マドンナが「Italians do it better」と書いてある黒いＴシャツを着ていた。当時は、曲よりも、このＴシャツのほうが話題になったそうだ。ビデオを観た人が、「マドンナが言うなら本当かもな」とでも思ったのだろう。

しかし、ビデオを発表した後の、本人のインタビューによると、「イタリア人は一番上手くやっている」という曖昧な文章が意味していたのは、セックスのことではなかったらしい。マドンナによると、「一番上手くやっている」ものは……なんと〝ティラミス〟のことだったのだ！　あの名言は本当なら、「イタリア人が一番美味く作《や》っている」と訳すべきだったのだ。

イタリアを含めて、この文章の本当の意味を知っている人たちは、なぜかとても少ないようだ。セックスには個人差があるため、どこの国の人が一番上手なのかを決めるのは無理だろうけれど、ティラミスに限定するなら、本場の味こそ、万国共通、一番美味しいかもしれない。

イタリア人は生まれながらのドン・ファン？

「あなたはイタリア人でしょう。生まれながらのドン・ファンなんだから、裕福な美人を口説いて結婚しなさい」。これまで日本人からたくさんの助言をもらってきたが、いろんな意味で、これが一番荒唐無稽だった。

ドン・ファン（スペイン語ではDon Juan）は放蕩《ほうとう》に耽《ふ》ける美男の架空人物で、１６３２年に発表された、スペイン人の劇作家ティルソ・デ・モリーナの戯曲『セビリアの色事師と石の招客』に登場する。ちなみに、このキャラクターはイタリア人ではなく、スペイン人だ。しかし、放蕩に耽ける女たらしという設定なので、イタリア人だと思い込んでいる日本人が多いようだ。

「イタリア人は女を口説く、女たらしが多い」。イタリア人にまつわる様々なステレオタイプの中では、これが一番根深いように感じる。

世界でもっともこの名声を高めた人物と言えば、Giacomo Casanova（ジャコモ・カサノヴァ）だろう。カサノヴァはドン・ファンのような架空のキャラクターではなく、実在した人物だ。１７２５年にヴェネツィアに生まれて、１７９８年に亡くなるまで、術策家、作家、詩人、錬金術師、哲学者、外交官、秘密諜報員として活動していた。

これほど多方面で活躍したにもかかわらず、彼が世界で知られている一番の（そして、ほとんど唯一の）理由は、「漁色」なのだ。自伝『我が生涯の物語』によると、カサノヴァは女官をはじめ、貴人、俳優、下女、修道女、娼婦などを誘惑し、抱きしめた女性の人数は１２０人を超えるという。１８２６年に自伝が出版されてから、カサノヴァは漁色家として一気に名声を得た。そして、そのイメージが少しずつイタリア人へと移っていったのも、これまた仕方のないことなのかもしれない。

理想の結婚相手は「稼いでいる人」？

では、漁色家のイタリア人の話はこれでいったん終わりにして、「裕福な美人を口説いて」

という助言に戻ろう。周りの話を聞く限り、日本で「良い」と思われている結婚相手は、お金を持っている相手だそうだ。

振り返ってみると、自分が付き合ってきた日本人の彼女もそれを大事に考えていたようだった。相手にお金があれば、こちらも安心して暮らせる――周りの日本人の女友だちによると、これこそが、理想の結婚相手に「稼いでいる人」が選ばれる理由らしい。この間、結婚相手を見つけて結婚したばかりの日本人の女友だちと、半分冗談のつもりで次のような会話をした。

「結婚相手は、給料で決めたの？」

「そうよ。だって、まずは年収でしょ」

「相手が好きじゃなくても、年収さえ高ければいい、ということ？」

「さあ。結婚って、多少なりとも我慢しなくてはならないものだからね。イタリアだって結局はそうなんじゃないの？」

いや、イタリアはそうではない。

イタリア人が考える結婚と恋愛は、お金と結びつくものではないように思う。相手の年収を理由に付き合ったり、結婚したりするなんて話はまず聞かない。結婚とは、本当に好きな人としかできないもの。大金がなくても、稼いでいなくても、たとえ貧乏であっても、その人のことが心から好きなら、結婚する。お金目的で一生を過ごす相手を決めることを、大抵のイタリア人はしない。有名なイタリアの諺にあるように、「I《イ》 soldi《ソルディ》 non《ノン》 fanno《ファンノ》 la《ラ》 felicità《フェリチター》」「金で幸せは買えない」のだ。

この諺のみならず、キリスト教の教えでも、お金は咎められるべきものだと考えられている。新約聖書には、「金銭を愛することが、あらゆる悪の根だからです。ある人たちは、金を追い求めたために、信仰から迷い出て、非常な苦痛をもって自分を刺し通しました」（Iテモテ6章1〜10節）と書かれている。

もちろん、お金それ自体は悪いものではない。それに、現代人は、お金なくして生きていけるとはもはや思えない。だけど、自分の心よりお金を優先することによって、人間が堕落してしまうのも、事実だろう。

愛する相手に愛される。イタリア人にとっては、これこそが人生最大の「安心」なのだ。愛し合っている相手と一緒にいれば、人生のどんな出来事も乗り越えていける。まさに、古代ローマの詩人ウェルギリウスが『牧歌』（10,69）に歌ったように「Omnia《オムニア》 vincit《ヴィンチット》 amor《アーモル》」、つまり「愛はすべてに勝つ」。

ところが、お金を理由に結婚すると、お金があるうちは二人の関係も万事順調かもしれないが、それがなくなると、お金で成り立った二人の関係も崩壊してしまう。まさに「金の切れ目が縁の切れ目」となってしまわないように、イタリア人はお金を目的に結婚相手を選ぶことはしない。

イタリア人が考える幸せは、物理的に形がないものだとも言える。古い考えだと思われてしまうかもしれないが、好きな相手と、酸《す》いも甘いも噛み分けながら、なるべく長く人生を送っていくことが、幸せだと考える人が多いように思う。

目にしないものは、心からも遠ざかっていく

おそらく、慎み深い日本人から見ると、恋愛にまつわるイタリア人の言動は、情熱的過ぎるかもしれない。

数年前、ローマに暮らしている日本人の女性の友だちＭさんと久しぶりに再会した。スペ

イン広場の辺りで食事をした後、せっかくの散歩日和だったので街中を散策することにした。

行き先のポポロ広場は、相変わらず人出が多かった。広場の中心に聳え立つオベリスクの周りには、10～30代のカップルが段差のあちこちに座っていた。カップルたちは、仲良さげに互いの頭や手を撫でたり、キスをしたりしていた。通行人の目を気にして、恥ずかしがることもなく、口元で情熱的に愛を交わしていた。それを目撃したMさんは、

「まったく、イタリア人は……」と言いかけた。イタリアで暮らしているにもかかわらず、彼女はそのようなイタリア人の習慣に、未だ馴染めずにいるようだった。

「自分の感情を抑えるより、情熱的に表現したほうがいいじゃない？　たとえ人前でも」と、私は慌てて若者たちの肯定的な面を挙げた。そして、

「イタリア人は情熱的だからね」と付け加えたのだが、

「情熱的過ぎ」と彼女に言い切られてしまった。

イタリアでは、公園、広場、道端といった公共の場所でキスをするのは、普通だと思われている。夜陰に乗じて、光の届かない街角でイチャイチャするカップルも、たまにいる。その多くは若者だが、時折、中年のカップルなんかも見かけたりする。そんな光景に慣れていない人たちは、当然のごとく不思議に感じるのだろう。しかし、情熱的なイタリア人からす

ると、公私を無視してしまうほどの愛情のほとばしりは、普通のことなのだ。

第2章で説明したように、イタリア人は、建前と本音がほぼ一致している民族だ。よって、プライベート（私）とパブリック（公）の境界がなくなることがある。

この公私の未分化は、当然ながら恋愛の分野にも及ぶ。プライベートな空間にいる時だけでなく、他人と共有する場所でも、恋愛の証とも言えるキスを普通に交わす。特に若者は、他人の目を気にしないもの。日本でも、道端でキスをする高校生を見かけることがある。逆に、年をとると、人前で情熱に燃えるのを躊躇《ためら》う人が増えていく。

ただしイタリア人の場合は、若き日々の情熱を取り戻そうとするかのように、公の場でも若者っぽく振る舞う中年のカップルも多い。まさに、オスカー・ワイルドが言ったように、「若さを取り戻すのは、若い頃にやった常軌を逸したことを繰り返すだけでいいのです」。情熱も、若いうちの「常軌を逸した」ことの一つなのだろう。

Mさんはしばらく口を開かなかった。穏やかな春の風がローマの澄んだ空気を満たしていた。ポポロ広場の奥へ進むと、Mさんの携帯が鳴った。着信を確認した彼女は、イタリア人の彼氏からのメールだと教えてくれた。

「友だちと久々の再会を楽しんでいる？　僕はシャワー浴びて、変わらず不味いご飯を作って食べた。これから出かけるよ。またあとでね。大好き」と、読みあげてくれた。

それを聞いて、思いやりのある彼氏でよかったね、と思っていたところ、
「ああ、もう疲れちゃう……。いちいちやっていることを報告してくるし、毎日のように大好きって送られてくるの。なんか愛が重いと思わない？」とMさんはぼやいた。

彼女にも説明しようとしたが、イタリア人は、相手と「かかわり合う」ことで恋愛関係を進めていくものだ。まさに進行中の恋愛関係は、都合の良い時にだけかかわりを持つというものではない。相手のことを、一緒にいる時だけでなく、離れている時も同じように大事にすべきだと、イタリア人は思っている。一緒にいない時にパートナーを大事にするか、しないかによって、二人の恋愛が成長するか、終わってしまうかが決まるのだ。

美味しい果実を実らせたかったら、毎日の木の手入れが必要になる。木に水を与えたり、害虫を払ったりしなければならない。同じように、自分の恋愛が綺麗に咲いて、よく実って

ほしいと思ったら、ずっとその恋愛を見守り、ケアをし続ける必要がある。恋愛のみならず、どの関係でも手が届いていなければ、駄目になるのは時間の問題だろう。

イタリア語には「Lontano《ロンターノ》 dagli《ダッリ》 occhi《オッキ》, lontano《ロンターノ》 dal《ダル》 cuore《クオーレ》」という諺がある。辞書を引くと日本語では「会わないと心も遠ざかる」「去る者は日々に疎《うと》し」のように訳されているのだが、イタリア語では、もう一つの意味がある。原文により忠実に訳すと、「目から離れると、心からも離れる」となる。原文には、目と心という大事な言葉が含まれている。言い換えると、「目にしないものは、心からも遠ざかっていく」。だからこそ、会っている時だけでなく、会わない時もパートナーと一緒にい続ける、相手を思い続けるのは、とても大事なことなのだ。

イタリア人の恋愛3ヶ条

彼女とデートして楽しい時間をたくさん過ごす。だけど、家に帰ると何日も電話もメールもしない。自分の生活はつまらなくて、相手に伝えるような話題がないから、彼女に連絡していないだけだ、というかもしれない。しかし、しばらくその沈黙が続いたとしたら、相手は不安になる。大事にしたい物（者）こそ、ずっと見守ったり、見送ったりすべきなのだ。目にしなくなってしまうと、遅かれ早かれ心からも無くなってしまう。

そうならないよう、イタリア人は好きな人と付き合うと、毎日メッセージを送ったり、電話をしてお互いの情報を交換する。これは、決して面倒なことではなくて、それどころか最良のかかわり方だと思われている。たとえ他愛もない話でも、こうして日々言葉を交わし合うことによって、二人の恋愛を形にしていくことができるし、恋愛の「健康状態」を確かめることもできる。頻繁に連絡をとることで、相手を想っていることを示すわけだ。

その思いが伝わると、安心して付き合える。そして、そのお陰で、パートナーへの信頼が少しずつ高まり、喧嘩の頻度が減り、二人の恋愛はより健康的になる。

健康的な恋愛関係を続けるためには、頻繁に会い、頻繁に連絡を取り合うだけでなく、肉体関係も重要だ。言葉の中で愛し合うが、シーツの中で愛し合わない者は、どこまで恋人と言えるのだろう。

イタリア人は、よくセックスをすることが幸せな恋愛関係の秘訣の一つだと言う。セックスとは、相手を愛しているさらなる証。それに、セックスは「喧嘩からの救い」にもなる。喧嘩中のカップルは、話し合うことで仲直りする。しかし、言葉上での仲直りは、あくまでも「納得した」に近い感覚だ。「心を込めた仲直り」というより、頭での「関係修復」に似たようなものだろう。心からの仲直りは、セックスによってなされるものだ。肉体を通して、お互いの気持ちを改めて思い出す。喧嘩をすれば自分の心が相手から離れていくが、体を重ねることで、相手のところに戻ってくる。自分の気持ちが分からなくなった時は、セックスが救いになる。どのような喧嘩でも、セックスならば修復できる。イタリア人にとっての肉体関係は、恋愛における万能薬と言っても、過言ではないだろう。

毎日のように連絡し、度々体を重ねること。そしてイタリア人が考える幸せな恋愛のために必要な三つ目の要素は、「大好き」とお互いに言い合うことだ。これが、一番大事なことだと思われている。「大好き」と言うことで、お互いの感情を確かめることができる。

日本で驚いたことは、付き合っている彼女がお祝いの言葉でもあるかのように、誕生日、お正月といった特別な日以外、好きとほとんど言わなかったことだ。「どう

して？」と訊いたら、「そういう教育だから」と言っていた。イタリアの教育は、正反対のものだ。

曖昧な言動が苦手なイタリア人は、恋愛においてもはっきりしたものを好む。いつまでも「大好き」と言ってくれないパートナーとの付き合いは、長く続かない。相手に大好きと言われないことは、愛されていないように感じるからだ。だから、イタリア人の私からすると、Mさんの彼氏はむしろ思いやりがあってそれなりに良い付き合い方をしていた。しかし、慎み深い彼女からすれば、「情熱的過ぎる」彼氏だったのだろう。「大好き」と言い合えるのも、付き合っている間に感じられる幸せの醍醐味だと思うのだけれど。

以前、日本人の彼女から、「情緒不安定になったから別れたい」と言われた。この言葉は初耳だったため、急に態度が冷たくなった彼女の隣で、私はさっそく辞書を引いて意味を確認した。

情緒が不安定になる。つまり、私のことが好きかどうか、もはや分からなくなってきた、ということだった。私はその言葉の意味を理解したと同時に、驚かなかった。なぜならめったに「好き」と言われなかったから、二人の関係が順調に進んでいると思えずにいたのだ。

逆に、私は彼女に「好き」と言い過ぎたのかもしれない。慎ましい日本人の彼女と情熱的なイタリア人の彼氏は、自分たちの国民性に振り回されてばかりいて、共通点を見つけだせずに二人のロマンスは沈んだ。

イタリア人が思う恋愛とは、毎日少しずつ、二人で築きあげていくもの。こうして恋愛関係を築いていくイタリア人は、情動の揺れに耐えうる絆を結んでいく。どちらかというと、イタリア人は「情緒不安定」ではなく、むしろ「情緒纏綿《てんめん》」＊たる状態になりやすい民族なのだろう。

＊　情緒纏綿　情緒が深くこまやかなさま。情緒が心にまつわりついて離れないさま。
（デジタル大辞泉より）

第4章

誤読の家族

イタリア人男性は皆マザコン？

母国を離れて日本で暮らしていると、初めて会う日本人に「ホームシックになりませんか」「イタリアとまるで違う日本に住んで、困ることが多いでしょう」などといった、気遣いの言葉をもらうことが多い。

中でも特に多いのが「お母さんから遠く離れて寂しいでしょうね」という言葉だ。最初は、どうして母のことばかり気遣われるのかと、理解できずにいた。自分には父もいるのに、と不思議に思えた。ただ、そう訊かれれば訊かれるほど、なぜ父親ではなく母親のことばかり気遣うのか、その理由が知りたくなってきた。ある時、質問するきっかけを掴《つか》んでそれを訊いてみたら、意外な答えが返ってきた。

「イタリア人の男性はマザコンだから。お母さんから離れて暮らすのは大変だろうと思ってね」

「マザコン」とは何だろうか？　初めて耳にした言葉だったので、相手にその意味を確認してみた。

「つまり、『マザーコンプレックス』。お母さんに対して強い愛着とか、執着を持っているということ。イタリア人の男性はマザコンで有名だから」

イタリア人の男性はマザコンで有名だって？　イタリア人の男性である私は、その会話の瞬間まで、その事実をまったく知らなかった。そして、相手の話にとてつもなく興味を覚えたので、すぐに尋ねてみた。

「逆にあなたは、お母さんに対する愛着がないんですか？」

「いや、もちろんありますよ。ただ、イタリア人ほどは、強くはないですね」

私たちはしばらく、マザコンについて話をした。そして家に帰ると、いてもたってもいられず、さっそく母親に電話をした。

「お母さん元気？　ごめん、変な質問だけれど。あのね、一つ訊きたいことがあるんだ。本当に、ただ正直に答えてもらいたいんだけど」

「どうしたの、急に。何かあったの？　もちろん答えるわよ」

「ありがとう。じゃ、訊くね。僕はさぁ、マザコンなのかな？」

「誰が？　あなたのこと？　とんでもない！　どうしたのよ、なにをいきなり」

「さっきね、ある人と両親の話をしたら、やっぱり君はマザコンだよって言われてさ。ふとそうなのかなって思ったんだよ」

「いいえ、そうは思わないわ。むしろ、もっとお母さんに甘えてほしかったわ」

母親の言葉に、私は安堵《あんど》した。

数時間前の会話で、様々な質問を浴びせられた結果、「やっぱり、ディエゴさんはマザコンですよ」という結論が出された。しかし、私は納得できず、相手の勘違いにしか思えなかった。

イタリア人の男性にとって、自分のお母さんが「絶対的」な存在だということは間違いない。お母さんは、この世に自分を産んでくれた人。そして、一日も休むことなく、ずっと世話をし、見守ってくれた人。嬉しい時も、悲しい時も、常に傍《かたわ》らにいてくれる人。自分の子どものために、自分の人生のすべてを捧げた人。

どう考えても、そこまでしてくれる人は「絶対的存在」になるのが当たり前だろう。心を持った人なら、誰もがそう認めるはず。お父さんも、もちろん、仕事で子どものために頑張ってくれているが、日常的に子どもの面倒を見るのは、九分通りお母さんのほうなのだ。そんなお母さんに対して愛着を抱いているのは、当然のことだ。

私がそう話すと、相手は「もちろん、私も自分のお母さんには感謝していますよ」と言い、「でも、ディエゴさんみたいに、週に2回も電話したりはしない。それに、母親と何でもかんでも話したりはしない。だからそれは、マザコンですよ」と結論づけた。

はい、その通りだ。私は、週に2回のペースで両親に電話をかけている。慌しい時期に入ると、電話でゆっくり話すのが難しくなる。その時は、時間がかかる電話をせずに、ラインなどでメッセージを送ることにしている。地元からほぼ1万キロ離れている私は、両親に心配をかけたくないので、そのペースで連絡をとっているわけだ。

とはいえ、実家から550キロ「しか」離れていないローマに住んでいた時も、やはり同じ頻度で両親に電話をかけていた。今は離れているから連絡しているのだが、仮に地元に住んでいても、やっぱり同じ頻度で電話をしたり、会いに行ったりすると思う。

これは私に限ったことではなく、イタリア人はだいたい皆そうしているのだ。イタリア人ならではの、作法だと言えよう。マザコンとは関係ない。両親に対して「ありがたい」気持ちがあるからこそ、イタリア人はそうしているわけだ。

イタリアと日本の「家庭内会話」

それと、イタリア人は、両親になんでもかんでも話す傾向がある。お母さんだけではなく、お父さんにもなんでもかんでも話すのだ。イタリアでは、「家族みんなが常に話し合う家庭ほど良い家庭はない」と考えられている。

子どもがまだ小さいうちから、親は子どもにいろんなことを聞いてくる。友だちの話を聞いたり、悩みも聞いてあげたりする。そのうちに、両親と話すことが習慣になってくる。思春期に入ってからも、大人になって自立してからも、やはり両親との会話が途切れない。初恋の心境、大人になる悩み、職場でのトラブル――親に話し、相談する内容は様々だ。

友だちに日本の家庭ではどうなのかと聞いてみたが、日本だと、家庭内で会話できるチャンスは、あまりないようだ。自立してから両親に連絡することも少ないという。ある日、友人のMさんと定番のお茶会をしていたら、次のような会話があった。

「そういえば、君はご両親にあまり連絡しないの？」

「しないよ」

「なんで？」

「だって、お互い忙しいから」

「毎月3回ぐらい僕に会ってゆっくりお茶ができる余裕があれば、両親に電話するための時間も作れるんじゃない？」

「さあ、どうだろう」

「仲が悪いの？」

「いや、全然。すごく仲いいよ」

「だったらいいけど。会いに行ったりはする？」

「するよ」

「よかった。どのぐらいの頻度で？」

「そうだね、年に一度ぐらいかな。お盆か大晦日だね。まったく会えない年もあるけど」

「そっか。仕事もあるもんね。ちなみに、実家はどこだっけ？」

「千葉だよ」

……バタン！　日本人ならではの答え、のような気がした。イタリア人が出せるような答えでは決してない。たとえどれほど忙しくても、両親に電話をかけるための5分くらいは作れるだろう。「ありがたい」というのは、言葉である以前に、気持ちなのだ。その気持ちは言葉だけではなく、時には「行動」にも表さなくてはいけない。命を与えてくれて、大人になるまで育ててくれた親なら、なお、そうすべきだろう。それこそが息子／娘としての恩返しだと、イタリア人は思っているのだ。

Mamma mia!（マッマ ミア！）

「イタリア人の男性はマザコンだ」という勘違いの理由は、あるイタリア語の表現にあったようだ。イタリア語には、「Mamma《マッマ》 mia!《ミア》」という表現がある。これは、ビックリしたときなどに使う、「うわぁ！」「なんということだ！」を意味する感嘆文。日本語に直訳すると「我がお母さん！」。そこから、「イタリア人は困った時お母さんを呼ぶ」というイメージがついてしまったようだ。しかし、言うまでもなく「我がお母さん！」は単なる言語表現であり、本当に自分の母親を呼ぶつもりで使用するわけではない。また、イタリア人の男性がマザコンだという証拠にもならない。

　この言い方の本当の意味は、「お母さんに守ってもらいたいくらい、今起きたことに驚いた／今聞いたことが悲しかった」。普段は、男性のみならず、女性も使っている。もし誰かの助けを求めるのであれば、いつも助けてくれた人に声をかけるのは当然だろう。たとえ言語表現上でも、生まれてからずっと見守ってくれているお母さんの名前を呼ぶのも、驚くべきことではないように思う。

ちなみに、イタリア語の同類表現の中では「Dio《ディオ》 mio《ミオ》!」という言葉もある。英語の「Oh my God!」と同じ意味だ。何か困ったことがあって「Oh my God!」という感嘆文を使う人たちも、実際に神様を呼んでいるわけではない。また、「ゴッドコン」（「ゴッドコンプレックス」）だから使っているというわけではない。

もちろん、母国にはマザコンの男性がまったくいない、というわけではない。いるには無論いるのだが、日本で思われているよりはるかに少数だ。

和伊中辞典を引くと、「マザコン」は「mammone《マッモーネ》」とイタリア語訳されている。イタリア語の「mammone」は確かに「いつもお母さんに付きまとう男」を意味するのだが、日本語の「マザコン」とはまったく別の使い方をする。「mammone」は、精神的なコンプレックスを指す単語ではなく、相手のことを侮辱するために使われる言葉だ。「母親がいないと何もできない」「いつまでも自立できない」弱者を指しているため、侮辱の言葉の中でもきついほうだと思う。日本語に意訳すると「泣き虫」。男性の泣き虫は「mammone」と呼ばれ、女性の泣き虫は「mammona《マッモーナ》」という女性形の名詞で呼ばれる。

人生で唯一無二の価値のあるもの

そもそも、イタリア人が一番大事にすべきだと思っているのは母親だけではなく、「famiglia《ファミーリア》」（和訳：「家族」）そのものだ。どの国にも「家族」という「共同生活の単位となる集団」があるが、国によって、その観念は異なっている。それでは、イタリア人が考える家族とはどんなものなのだろうか。その前に、まずは家族間の関係性から見ていこう。

イタリアの家族はとても強い絆で結ばれている。その絆は、同じ家庭に生まれたから強いというわけではない。むしろ、子どもの時から日々、深めていくことで強くなっていくのだ。

私の場合もそうだったが、イタリアでは、子どもの頃からよく祖父母と親戚の家へ親に連れて行ってもらう。イタリアでは、親戚と一緒に過ごす時間がとても多いのだ。ほとんどの祝日は親戚と一緒に食事をするし、クリスマスの日は、絶対に親戚と過ごさなくてはいけない。

両親が忙しくてちゃんと面倒を見てあげられない時、子どもは塾ではなく、親戚のところに預かってもらう。確かに、過去を振り返ると、子どもの時は実家で過ごした時間より、親戚のところで過ごした時間のほうが多かった。学校の友だちと遊んだ記憶より、従兄妹《いとこ》たちと作った思い出のほうが多い。祖父母、親戚、従兄妹たちに頻繁に会うことで、「家族」としての絆を強めていくわけだ。

　たとえ生まれながら結ばれている絆でも、やはり日々、結び直していかないと、遅かれ早かれほつれてしまうだろう。だから、小さい時から日々結び直していく。そして、日々深めていく家族との絆は、人生で唯一無二の価値あるものとなっていく。

　従兄妹たちとの関係も特別だ。特に、自分より何歳か年上の従兄姉との関係は、何よりも大切。少年時代、年上の従兄姉は「大人」に見える。しかし、両親とは違って、従兄姉は大人でありながら若者の気持ちもよく理解している。両親にはなかなか理解してもらえない若者の流行《はや》りも、年上の従兄姉たちには理解してもらえる。そして、親には決して許されないことが、従兄姉だと普通に許されることがある。

　個人的な話をすると、私は、学生時代ラップミュージックに憧れていた。小遣いを貯めて、ようやく手に入れたエミネムのアルバムを家で聴こうとしたら、母親に「何この雑音！　今すぐ止《や》めなさい！」とひどく叱られた。それから、家でラップを聴くことができなくなってしまった。両親と私は違う世代に生まれたので、若者の好みを理解するのは難しかったのだろう。しかし、4歳上の従姉《いとこ》フランチェスカのところに行けば、いつでもラップを聴くことができた。彼女もラップが好きで、私の知らない歌手を彼女がたくさん教えてくれたお陰で曲の好みも広がっていった。イタリアでは、両親が育てられないところは、従兄姉が代わりに育ててくれるわけだ。

　従兄妹との関係は兄妹《きょうだい》とは違って特別。兄妹は、同じ家族の一員なので、距離が近すぎる。争ったり、喧嘩したりするのは、兄妹につきものだ。だけど従兄妹なら、その距離は丁度いい。たとえ仲が良くても、自分の兄妹の友達はあくまでも兄妹が作った友達なので、一緒に遊ぶのに躊躇ってしまう。が、従兄妹のcomitiva《コミティーヴァ》の仲間だと、何の躊躇いもなく付き合える。

　従兄妹を通して、初めて自分の家族や教育環境以外の人たちとかかわり合うチャンスが得

られる。両親には「家庭内」の成長を見守ってもらい、家の玄関を出た外の世界へ連れて行ってくれるのは、多くの場合、従兄姉だった。そういう意味では、イタリアでは、従兄姉というのは極めて貴重な存在と言えよう。

イタリアの家族のかたち

私は今、家族のメンバーの話をするにあたって、親戚の話をしている。話題が若干脱線しているのではと思っている読者もいるだろう。しかし、イタリア人の感覚からすると、親戚も家族の成員なのだ。

日本では、家族と言えば、大辞泉を引用すると「夫婦とその血縁関係者を中心に構成され、共同生活の単位となる集団（略）」。それに対して、親類とは「家族を除く血族と姻族」。よって、親類は家族とはされていない。しかし、イタリアでは親戚のことも家族だと考えるのが主流だ。私にはメラニアという名の妹がいる。実妹なので、メラニアのことを「家族」と呼ぶのは当たり前だ。しかし、私には近親者の、20人の従兄妹たちのことも、また「家族」と呼んでいる。不思議に聞こえるだろうが、イタリア人の感覚からすると、親類も普通に家族の成員なのだ。

イタリアでは、家庭の成員から遠い親戚まで、全員が「家族」になる。こうしたイタリアのファミーリアの観念は、日本より幅広いものだ。しかし、実を言うと、ファミーリアはそれよりもはるかに大きなものだ。イタリア人の感覚では、戸籍謄本に記載されていない、血縁関係者以外の者も「家族」と認識される。

もちろん、誰もが「家族」になるわけではない。「友だち」でい続ける人がほとんどだが、そのうちに、家族に加わる絆もある。人生の苦楽を共にしたり、助け合ったりする二人の絆が、単なる友情からもっと深い感情に変化していくことがあるのだ。

本書に登場するルカ、ダヴィデ、ファウスト、パオロのことを、分かりやすくするため「友人」なり「親友」とここでは呼んでいる。しかし、本当を言うと、彼らは私の（非血縁の）「fratelli《フラテッリ》」（和訳：「兄弟」）なのだ。登場しなかった fratelli と sorelle《ソレッレ》（和訳：「姉妹」）は、他にもたくさんいる。非血縁でありながらも、彼ら、彼女らは私の家族なのだ。実の兄妹に恵まれるには限界がある。しかし、家庭内に生まれなかった兄妹を、家庭の外に得ることもできるというわけだ。戸籍上の関係が違っていても、心の中の気持ちには相異がない。

友情関係にある限界が、兄妹関係にはない。たとえ相手がいい友人であっても、迷惑をかけそうな話はしづらい。または、二人の友情を守るために、距離を保ってかかわらないほうがいい場合も、もちろんある。

つまり、友情関係では、常に相手の都合を考える必要がある。逆に、兄妹関係の場合にはそれがない。どんな時でも、いかに話しづらい話題であっても、相手に気を遣わずにいつでも話せるわけだ。兄妹とは、都合を考えずに常に支え合える存在だから。

もちろん、実兄弟ではない人と「兄貴」「弟」という関係を築くことは、日本でも可能だ。日本でも、血縁関係はないのに、まるで家族扱いを受ける場合がある。ただし、日本の場合、その関係は、あまり「平等」には感じられない。なぜならば、日本語の「兄」と「弟」という単語には「上下関係」が伴うからだ。自分が兄貴の立場なのか、弟の立場なのか、それによって相手に対する態度がまったく変わるわけだ。したがって、兄貴はいつまでも兄貴らしく振る舞って弟の面倒を見る。一方、弟はいつまでも弟らしく、どんな時でも兄貴より一歩後ろに下がる必要がある。ある意味、弟は兄貴の傘下に入っているとも言える。そして、一度決まった二人の立場は「主客転倒」になることはない。

イタリアでも、実兄弟には自然と上下関係が生まれるが、非血縁の兄弟には、そのような関係はない。年齢の差はあっても、心の兄弟は「平等」なのだ。一人は上の立場に立って世話をして、もう一人は下の立場に立って世話をしてもらう――そのような関係はイタリアでは、考えられない。二人とも平等な立場に立ち、上下関係を示さない「fratello」という言葉で呼び合いながら、フェアな関係を築いていく。

しかし、平等といっても、ファミーリア成員との関係がいつも穏やかなわけではない。不和が生じることも結構ある。イタリア語には、親族間で起きる争いを表現する諺が、少なくない。「Parenti《パレンティ》 mal《マル》 di《ディ》 denti《デンティ》」と「Parenti《パレンティ》 serpenti《セルペンティ》, fratelli《フラテッリ》 coltelli《コルテッリ》」が有名な例だ。一つ目は「親戚は歯の痛みほど煩わしいものだ」を意味する。二つ目は、「親戚は蛇の如く、兄弟はナイフの如く」。どちらの諺も、「近親者ほど憎悪の念が強い者はいない」と実に厄介な意味を示している。

親族間の争いは、イタリアの小説や映画にも登場するくらい一般的で、「民衆文化」のようなものだ。「民衆文化」である、家族間の諍《いさか》いは、ほとんどの場合「嫉妬《しっと》」が原因のようだ。本来ならば家族の全員に対して「平等」に振る舞うべき祖父母や両親の態度が、誰か一人に傾いてしまうと、不公平な待遇を受けたメンバーは優遇されている人を嫉妬し、喧嘩腰になる。よくある話で、私も子どもの頃、目の仇にされたことがある。

当時、叔母さんに憎まれていたのだが、仕方のないことだったのかもしれない。でもそのせいで、大好きな叔父さんにまで自由に会えなくなって淋しい思いをした記憶がある。しかし、第1章に書いた通り、イタリア人の言葉は「打ち消せる」ものなので、大人になってからまたその叔母さんとは、仲直りすることができた。

家族間に諍いが起こるのはやむを得ないことだろう。友達に聞いた話だが、日本では、遺産相続による親族間の争いが多いらしい。イタリアも同じだ。そして、日本では家族との縁を断ち切ることも、そう珍しくないようだ。イタリアでは、大事件が起きない限り、それは珍しいことだ。

暖炉のない家は本当の家ではない

私が調べた限り、日本には、家族を象徴するものがないようだ。一家を象徴する「家紋」はあるが、家族そのものを体現するものはないように思う。

近代まで、イタリアで家族を象徴するものといえば、「暖炉」だった。昔の人にとって火は、非常に大切なものとされていた。火のお陰で料理を作れる。火のお陰で寒い冬に暖をとることができる。人々は、火で部屋の中を照らした。火は、生活に欠かせないものだった。

そこから、火の燃える暖炉が家庭の中心になっていったのだろう。

家族は、火を中心に生活していた。人の生活の軸だった暖炉は、象徴的な存在となり、家庭の中心のように思われていた。私の祖父母たちの家には、どちらの家にも暖炉があった。母方の家族は10人世帯だったので、とても広くて大きな暖炉が居間の一番奥の角にあった。冬になると、子どもの私は、従兄妹たちと暖炉を囲んで、アンナお婆さんに手伝ってもらいながらパンを焼いて、オリーブ・オイルとトマトで仕上げたパンを美味しく食べた。記憶の中では、それが一番懐かしいものだ。

この祖父母の家は築年数が古く、セントラル・ヒーティングなど、まだない時代に建てられたため、暖炉があったのは当たり前かもしれない。しかし、セントラル・ヒーティングが普及してきた、１９８０年代に建てられた私の実家にも、なぜか暖炉がある。実家の暖炉は、物心がついてから、わずか数回しか使われていない。「使うきっかけがないと最初から分かっていたのに、どうしてこだわって暖炉を設置したの?」と、母に質問したことがある。「暖炉のない家は本当の家ではないから」と母は答えた。暖炉は実用性がなくなっても、たとえ単なる象徴にすぎなくなっても、家族が集まる「家の中心」として必要だったようだ。

この考え方は、実は、古代ローマ時代から継続している。古代ローマには、Lares《ラレース》という守護神がいた。様々なものを守っていたこの神々は、家庭の守護神としてもっともよく知られていた。家庭守護神 Lares の正体は、家族の先祖だった。先祖は、家庭内にあった lararium《ララーリウム》という祭壇で祭られており、そこで決まった日に敬意を込めて小さな火をつけられた。

ここにもまた、「火」が登場するのだ。燃える火が家庭を象徴するという発想は、古代ローマ時代に始まり、近代まで続いている。が、現代に入ってから、その連想は弱まっている。大きな都市のマンションから小さな村の一軒家まで、暖炉を設置している新築は非常に少なくなってきた。テクノロジーの発展によって、生活習慣が大きく変わった影響で暖炉がなくなってきているのだろう。それでも家族を象徴する暖炉は、住める家がある限り、

家族を体現するものとして存在し続けている。

そういえば、ピッピお爺さんは「家は自由に笑ったり泣いたりできる場所だ」とよく言っていた。確かに、イタリア人にとって自分の家と呼べる「スペース」はとても重要だ。そのスペースは、親子が共に生活できる場所としてだけでなく、親戚が集まる場所としても大切な役割を果たしている。日本でも、祝祭や記念日のときに親戚が集まる習慣があると聞いた。しかし、その頻度は、イタリアのほうが、日本よりもずっと多い。

イタリアでは、家に親戚を呼んで一緒に食事をするのが習慣だ。また、食事会をしない時でも、祖父母や親戚のところへ食後のコーヒーを飲みに行くことがよくある。親戚に会える頻度はもちろん、住んでいる場所によって変わる。大きな都市に住む人たちは、移動に時間がかかるので、頻繁に親戚のところへ行くことはないだろう。しかし、そう大きくない町と村に住む人たちは、毎日のように親戚に会いに行くのだ。

私が日本に滞在して一番驚いたことは、家の寸法だった。「狭い」の定義を改めたくらい、日本（そして東京）のアパートは狭い。今借りている部屋も小さくて、一人で住むスペースとしても足りないくらいだが、贅沢は言えない。身長１８０センチの私は背中を伸ばすと、天井に指先が届く。イタリアではこんな低い天井の建物はかなり珍しい。体が大きいと、日本のアパートに住むのはなかなかつらい。

数ヶ月前、友人のTさんが都内で三階建ての一軒家を購入して、そのお祝いの夕食会に私を誘ってくれた。彼は、最初に検討していた地域はやめ、最終的に別の地域に家を買ったそうだ。理由を尋ねると、「もう少し広い家が欲しかったので、同じ23区内でも中心部から少し離れた地域にしました」とのことだった。広い家が欲しい、という気持ちに、イタリア人の私は共感する。彼の広い一軒家を見るのをとても楽しみにしていた。

当日、食事会の人数は私を含めて６人だった。居間には、６人が囲むことのできるテーブルや、小さなソファとオープンキッチン以外、他には物を置けるようなスペースが一切なかった。テーブルを囲んだ我々６人は、容赦なく建物の壁に囲まれた状態だったのだ。イタリアの家の寸法に慣れている私が「いやぁ～この家も狭いな」と思っていると、友人のTさんは「どうだいディエゴ、この家は広いだろう?」と嬉しそうに言ってきた。その満足げな雰囲気を見ていたら、水を差《さ》すような発言は私にはできなかった。

自宅に人を呼ぶことが多いから、イタリアの家にはある程度の大きさがないと困る。親戚のみならず、友だちもよく家に誘う。イタリアでは、友だちの家で集まることは普通だ。集まって、食事をしたり、映画を観たりして、楽しく時間を過ごす。日本で友だちの家に誘われた回数は、片手の指で数えられるほどしかない気がする。狭い部屋だと人を呼べない、という問題もきっとあるのだろう。

だけど、狭い部屋に住んでいるにもかかわらず、イタリア人の私は部屋に人を呼んでしまうのだ。人数や性別を問わず、最低でも月に一度の頻度で人を誘っている。お酒を飲んだり、食事をしたりしながら、近況を語り合う。もちろん、家でなければ語り合えないというわけではない。外食しながら語らうこともある。しかし、イタリア人の私にとって、家とは人が遊びに来るための場所でもある。活気のない家は、まるで火が消えてしまった暖炉のように感じるのだ。

イタリア流のおもてなしとは？

自宅に人を誘う習慣は、イタリアのまた別の文化とも繋がる。その文化とは「ospitalità《オスピタリター》」。日本語に訳すと「おもてなし」。

滝川クリステル氏が２０１３年に、国際オリンピック委員会の第１２５次総会で述べた言葉は、誰もが覚えているだろうが、念のためこちらも引用しておく。「皆様を私どもでしかできないお迎え方をいたします。それは日本語ではたった一言で表現できます。『おもてなし』。それは訪れる人を心から慈しみ、お迎えするという深い意味があります。先祖代々受け継がれてまいりました」

さて、イタリアにも同じ文化がある。その文化もまた、先祖代々受け継がれてきた。ただし、日本の「おもてなし」と違って、イタリアの「ospitalità」はサービス精神とは一致しないものだ。イタリア人は、素敵なサービスで「ospite《オースピテ》」（和訳：「お客」）を迎えるのではなく、純粋な善なる心から人を迎えるのだ。

イタリアのおもてなし文化は紀元前、古代ローマ時代から継続されてきた。古代ローマ人は、宗教や美術とともに、おもてなしの神髄も古代ギリシャの文明から受け継いできたようだ。

古代ギリシャのおもてなし文化は「ξενία《クセニーア》」と呼ばれた。ギリシャでは、お客は最高神ゼウスに送られてきた「聖なる者」だと考えられていた。自分の家の戸を叩いて、食事や宿泊をお願いするお客を、名前と身元を確かめることなく、手厚くもてなすべきだと考えていた。

ギリシャからローマへ、そして現代のイタリアに至るおもてなしの文化。親戚と友だちを家に誘って、食事などで歓待する習慣も、その文化の名残だろう。
日本で地元プーリア州のことを訊かれると、私はネットで調べた写真を見せながら熱く語る。自然と歴史に恵まれた地元の画像を見た人は、誰もが向こうに行ってみたくなる。「素敵！　行ってみたいな」と言う人に対して「じゃあ、行ってみれば？」と提案する私。「でも、どうやって行けばいいのか、どこに泊まったらいいのかも分からないから」と迷っている相手に、私は素直な気持ちから「うちの実家に泊まったらいいじゃないか？　地元の電車やバスは少ないけれど、両親が車であちこちに連れて行ってくれるだろうから、逆に楽だと思うけれど。どうかな？」と提案する。最後まで冗談だと思われる私の言葉だが、実は、真剣に誘っているのだ。

今日までに、その誘いに乗った日本人の「ospite」は12人もいる。その中には、ローマ大学の留学生、東大の仲間、友人、仕事関係の人、イタリア語の生徒、松山の三越でたまたま知り合った人もいる。私の地元に行って実家に泊まって、母親の家庭料理を食べたり、プーリア州とサレント半島での観光を楽しんだりしながら、まったりとした時間を過ごしてもらった。実際にプーリア州に行けた彼らも、楽しい時間を過ごせた私の両親も、喜んでいた。帰国のために空港まで「ospite」を送る両親は「もう家族の一員だから、またいつでも遊びに来てね」と、別れ際、相手に伝える。

両親がやっていることは、まさにおもてなし。お金をとってやっていることではない。日本人の「ospite」が毎回、ガソリン代なり食事代なり、感謝を込めてお金を渡そうとしても、両親は固く断る。おもてなしとは、お金とは無関係であり、気持ちから生まれるものだ。「Ospite」にお金を頂くのは、たとえ感謝のお金であっても、絶対にありえない。「Ospite」は「cliente《クリエンテ》」（和訳：「顧客」）ではないからだ。

日本では、お店で買い物をする人のことも、家に宿泊させる人のことも、同じ言葉を使って「お客さん」と呼ぶ。イタリア語では、二つの単語を使い分ける。お店などでお金を使っていただく人のことを「cliente」と呼んで、家に泊まらせる人のことを「ospite」と呼ぶ。自分の「ospite」でいる人に、1円でもお金を負担させてはいけないのだ。

イタリア語には「l'ospite è sacro《ロースピテ エ サークロ》」という言

い方がある。その意味は「お客は聖なる者だ」。古代ギリシャと同じ感覚だ。必ずしも完璧なサービスができるわけではないが、代わりに、心の底から湧き上がってくる国民のおもてなしは、「聖なる」と表現してもいいに違いない。

日本とイタリアの「ウチとソト」

日本には、「ウチ」と「ソト」の感覚がある。「ウチ」は、自分自身が所属する家庭、会社、学校などのことを指す。一方、「ソト」は自分自身が所属していないものを示す。この感覚に従って、周りの関係はすべてウチとソトに両分されている。そして、そのどちらに所属するかによって、相手への態度や言葉がまったく変わってくるのだ。

東京大学にいた頃、日本語学科のアメリカ人の学生と知り合い、よく日本語をめぐる様々な話をしていた。「日本語を覚えるのに、なにが一番難しかったですか」と尋ねた私に、「ウチとソトの関係性」と彼が即答した。日本人のウチとソトという感覚は、社会のみならず、言葉にも反映されている。ウチに対しては「だ」調で、ソトに対しては「です／ます」調で話したりする。そういった感覚は西洋の文化と言語にあまりないので、非常に理解するのが難しい。しかし、イタリア人の私にとっては、それほど難しくなかった。

日本のように一つの理論に編纂されていないが、実は、イタリアにも「ウチ」と「ソト」に似た、感覚や文化がある。イタリアで、「ウチ」に該当するのが「famiglia《ファミーリア》」、つまり「家族」だ。ウチとなるものは家族のみ。それ以外のものは全部「ソト」になる。卒業した学校も、長く勤めた職場も、基本的にソトとされる。イタリアには、家族以外のウチは存在しない。日本人のウチに比べると、イタリアのウチのほうがはるかに「小世界」に見えるだろう。しかし、見てきた通り、イタリアの「famiglia」は単なる家庭の境界線を越えて、親戚から友人まで含むため、より広い概念なのだ。

「ウチ＝家族」という見方をすると、人間の絆が深まるような良いことがある一方で、「イタリアらしい」マイナスのことも多くある。

例えば、ウチとソトがかかわる、ある事柄について選択するとき、誰もが「ウチ」を選ぶだろう。日本では、ウチを選ぶことで、個人の得だけでなく、ウチと考えられる会社や学校まで得をすることになる。つまり、その選択は他人のためにも、そして社会のためにもなるわけだ。しかし、イタリアでは、ウチを選ぶことによって得をするのは個人、あるいは、その個人の家族のみだ。

ウチを選ぶイタリア人たちは、基本的に自分自身と自分の家庭を選んでいるのだ。公共の利益、公共の福祉、公共の財産ではなく、優先されるのは個人の利益ばかりというわけだ。公共心が養われていないというより、日本のような個人を社会に結びつける糸が断ち切られているからだろう。ウチのスケールは、家族以外の「他人」には及ばない。それでは、他人によって構成されている社会との繋がりが、なくなってしまうわけだ。

何よりも優先される自分の家族

「常に自分を優先すべき」。その方針は政治から労働まで、イタリア社会のあらゆる面に浸透している。まず、政治界の例から見よう。他党から良いオファーが来ると、イタリアの政治家や国会議員は喜んで別の党へ移籍する。「オファー」というのは賄賂なり、高級な贈答品なり、有益になりそうな約束など。そのような「Compravendita《コンプラヴェンディタ》 dei《デイ》 senatori《セナトーリ》」（和訳：「上院議員の売買」）のお陰で、崩壊を免れた政府も過去にあった。そうした政治家は、従来所属している政党のことや、その政党を選挙で選んだ国民のことを考えずに、自分の得になりそうなウチだけを優先する。だから、イタリアの政治が道徳観に欠けてしまいがちなのは、決して驚くべきことではないのだ。

風刺に満ちたアメリカの有名アニメシリーズ『ザ・シンプソンズ』のエピソードで「この学校は、イタリアの国会よりも腐敗している」という台詞《せりふ》を吐かれたくらい、イタリアの腐敗政治は周知の事実なのだ。

政治界だけでなく、イタリアの労働環境でも似たようなことがある。イタリアでは、仕事を得るのに必要なのは、能力や資格よりも、コネだったりする。ウチは、ウチだから、どのような場面においても、自分の家族のメンバーを優先させようとする。そのメンバーに、実際に使えそうな知識や技能が一切なかったとしてもかまわないのだ。ウチに仕事のない者がいるのなら、誰よりも優先すべきはその人物なのだ。しかしながら、そうして職に就いた者の中には、その職業に適していない人たちも交じってしまう。

イタリアと日本とでは「推薦／推薦状」の捉え方はまったく異なる。天下りの制度を除き、日本で一般的な推薦は、ある職業や地位に適応しそうなスキルを持っている人を薦めるためのものだ。優れた履歴を持っている者が推薦されるわけだ。しかし、イタリアでは「raccomandazione《ラッコマンダツィオーネ》」（和訳：「推薦」）という単語を耳にするだけで、すでにマイナスのイメージが湧く。その理由は、イタリアでは推薦の対象となる者は実力より、コネのある者が多いというイメージからだろう。

イタリア語では、コネで仕事を得た人のことを「raccomandato《ラッコマンダート》」、つまり「推薦された人」と呼ぶのだが、それは極めて悪い意味を持つ言葉だ。行政機関などで有利な椅子に座っている人で、その職に相応しい資格がないにもかかわらず、家族の政治家や外交官などに「推薦」されて職に就いた、といったスキャンダルは、イタリアでは珍しくない。

政治なり、行政なり、大学なりで、良いと思われる職に就いた（正しくは「就かされた」）者は、その後もなかなか職を手放したがらない。こういう現象はイタリア語で「Essere《エッセレ》 attaccato《アッタッカート》 alla《アッラ》 poltrona《ポルトローナ》」と言う。直訳すると「［良い職と地位を意味する］肘掛け椅子にまとわりつく」。コネと「raccomandazione」を尽くして得た、高収入や特権のある職から、一生離れがたくなる。そして退職の時が来ると、「私物」と化していた「肘掛け椅子」を、賄賂などの非道な手段を使ってでも、自分の家族に「譲ろう」とする。

そうしたスキャンダルの多いイタリアでは、行政の襟《えり》を正そうとする試みが次々と行われはするのだが、惨憺《さんたん》たる結果に終わってしまう。おそらく、ウチとソトに関する見方が変わらない限り、社会に対する個人の態度も改善されることはないのではないかと思う。

「マフィア」という家族

ウチの感覚にかかわる現象について語るときに、マフィアの存在を忘れてはならない。イタリア社会の単位になっている家族は、裏社会の単位にもなっている。

日本では、「お国はどこですか」と尋ねられて「イタリアです」と答えると、「イタリアか。ゴッドファーザーの国ですね」と返されることが時々ある。『ゴッドファーザー』は、１９７２年に公開された、フランシス・フォード・コッポラ監督が撮ったアメリカ映画。本映画に登場する主人公ヴィトー・コルレオーネが、南イタリア・シチリア島のコルレオーネ村に生まれて、アメリカに渡った後、ニューヨークで最強のマフィアのボスになるという話だ。

この映画が語るストーリーは実話だと思っている人が多くいるようだが、それは間違いだ。

「実は、その映画はフィクションなんですよね。実際のイタリアのマフィアとは関係ないんです」と私が明かすと、ほとんどの場合、相手のテンションが一気に下がる。

「え!?　本当の話じゃないんですか!?」

「そうなんですよ。ドン・ヴィトー・コルレオーネは架空の人物にすぎません。漫画『ジョジョの奇妙な冒険』の第五部に出てくる主人公たちもまた、皆マフィアですけれど、あれもまた本当の話ではないでしょう」

確かに、映画のドン・ヴィトーと漫画のブローノ・ブチャラティは架空人物だ。が、イタリアのマフィアそのものは、決して架空の存在ではない。マフィアは、本来一つの組織犯罪集団の固有名詞ではなく、そのカテゴリー全般を指す単語だ。「イタリアのマフィア」といっても、どの州のどの集団の話なのかと、明示しないと話は通じない。イタリアにある四大マフィアはシチリア島の「コーサ・ノストラ」、カンパニア州の「カモッラ」、カラブリア州の「ンドランゲタ」、そしてプーリア州の「サクラ・コローナ・ウニータ」だが、他の州や地域にもまだまだ存在している。

日本のヤクザは「組」に分かれているが、イタリアのマフィアの単位は「ファミーリア」、つまり「家族」だ。実際の血縁関係がない者は、入会の儀式を通してファミーリアの一員となる。儀式の際には、永遠の忠誠を誓って家族とそのメンバーを裏切らないことを約束する。裏社会では、血の掟を破ってファミーリアを裏切ることこそが、もっとも許されない行為なのだそうだ。掟を破った一員は、同じマフィアの者に「infame《インファーメ》」と咎められる。「Infame」は「卑劣な」「不名誉な」「恥ずべき」から「悪党」まで、幅広い意味を持つマイナスの言葉だ。マフィアの人たちは「裏切り者」という意味でこの単語を使っている。

「ウチ」である自分の家族を裏切って「ソト」である国家に売り渡す行為。それはまさに、家族の構成員の信頼を裏切ることであり、名誉は失われて、面子が潰《つぶ》れてしまうわけだ。家族の構成員を裏切る行為は、イタリアの表社会においても恥辱にまみれるような行為だとされ、人の行いの中で、もっとも卑《いや》しむべきものだと思われている。

結婚指輪は信頼の証

それでは、マフィアではないほうの、普通のイタリアの家族の話に戻ろう。

私には、日本人の兄貴がいる。もちろん、非血縁の我々ではあるが、心の中では深く結ばれているのだ。

以前、兄貴とイタリアの家族について話した時に「イタリアの家族の一番イイところは何だい?」と質問されたことがあった。「信頼です」と、私は即座に答えた。第2章にもすでに書いたが、人間関係を築くのに必要なものは信頼だろう。同僚よりも、友人よりも、イタリア人の人生の中でもっとも強い信頼関係は、家族の間に作られるのだ。

もちろん、家庭自体も信頼のもとに作られる。結婚する二人は、結婚指輪を交わして指にはめる時、互いを信頼し合う約束をするのだ。

日本ではほとんど知られていないようだが、結婚指輪は本来、信頼を象徴するものだ。結婚指輪のことをイタリア語では、「信頼」を意味する「fede《フェデ》」と呼ぶ。イタリア人にとって、結婚指輪は単なる高額な指輪ではなく、まさに二人の信頼関係を象徴するものなのだ。

一般的に「fede」はイエローゴールドで作られており、人の目が触れない指輪の裏側に相手の名前が刻まれる。裏側は心の奥底を象徴しており、そこに、常に愛している人の名前が刻まれているというわけだ。
「Fede」のデザインは非常にシンプルで、その形も曲線のない簡素な円形がポピュラーだ。円形という形は、二人の結合を象徴している。そして、「信頼」のメタファーとなるのが、結婚指輪の「重さ」。夫と妻の「fede」の重さは1ミリグラムも変わらない。男性は女性より、体が大きくて指が太いため、夫の「fede」の円周を少し大きめに作る必要がある。すると妻の「fede」に比べて、夫の結婚指輪のほうが大きく見える。

しかし、それは目の錯覚にすぎない。実は、二つの指輪はまったく同じ重さなのだ。大きさと幅が若干違っていても、その重さは変えないルールなのだ。「たとえ同じに見えなくても、そのもの自体はずっと同じである」——これこそが、夫婦の信頼関係を象徴する素敵な例えなのだろう。結婚式の際に交わし合う「fede」には、「これからもあなたを信頼します」という意志が込められているのだ。

最近では、イタリアのジュエリー店のショーウインドーにも、今風なデザインの結婚指輪が目立つようになった。線が円形ではなかったり、サイズも重さもバラバラだったり、相手の名前が表に表記されていたりするデザインもあって、伝統に逆らったデザインが増えている。

モダンという時代の流れは、常に古くさい習慣を乗り越えようとする。しかし、たとえ見た目がいくら美しくても、今もほとんどのイタリア人は、デザイン性ではなく、伝統的な結婚指輪を選ぶ。それは、伝統に、深い意味が込められていることを知っているからだろう。「信頼」のもとに結婚して家族を作るという行為は、イタリア人が古い時代からこだわってきた風習なのだ。

第5章

誤読のイタリア料理

日本人は食べることが大好き？

日本で、一番よく知られているイタリアのことについて考えてみる。おそらく、食のことではないだろうか。辞書に「イタ飯」なんて独特な言葉が載っていることからも分かるように、日本人はイタリア料理に特別な愛情を抱いているようだ。フランス料理を「フラ飯」と言ったり、「英飯」なんて言葉を聞いたことはないので、日本人のイタリア料理好きはいかばかりであろう。

というのも、日本人は、生まれながらにして食べることに特別な情熱を傾けているのかもしれないと、最近、私は改めて気づかされた。町を歩けば、外国の料理を味わえるお店がそこかしこにある。大人気のイタリア、フランス、スペイン料理をはじめ、それほどまだ知られていないギリシャやロシアの料理まで。

町ではおおよそのヨーロッパ諸国の料理を提供するレストランに出会える。ヨーロッパのみならず、中華料理、韓国料理、台湾料理などのアジアの食文化の店舗もたくさん見かける。トルコ料理のような西アジアの飲食店も珍しくない。さらには、南米、アフリカ料理の店までが揃っている。以前「ケニア料理を食べに行かない？」と友人に誘われたことがあり、そんな国の料理まであるのかと驚かされた。海外へ行かずとも、日本に住んでいると、気楽に世界中の料理を味わうことができるのだ。

　東京外国語大学に留学していた頃、日本語の授業中に「趣味」の話で盛り上がったことがあった。教授に「ディエゴさんの趣味は何ですか」と訊かれ、私はおもしろ半分に「デスメタル鑑賞です」と答えたが、「変な趣味だ」と先生に酷評されてしまった。逆に「先生のご趣味は何ですか」と訊き返すと、「料理を食べること。いろんな国の料理を食べるのが趣味です」と返された。その時、私は内心「変な趣味だな」と思った。

　一緒に授業を受けていた外国人の仲間の中には、食べるのが趣味だと答えた人は、誰一人としていなかった。だが、日本人の中には、食べるのが趣味だと答えた学生が二人もいた。その状況に私は、料理を食べることは趣味の範疇《はんちゅう》に収まるものなのか、と不思議に思ったものだった。大学の頃の私は、教授と日本人の仲間たちの答えに疑問を抱きつつも、その意味をまだ理解できずにいた。しかし、日本を棲家《すみか》として月日が過ぎると、あの時の答えの意味が少しずつ理解できるようになってきた。

　ローマ、ミラノ、ナポリ、トリノ、パレルモ。イタリアの大きな街々を歩いてみると、気づくことがある。街角という街角に溢れているイタリア料理のお店だ。それと比べると、海外料理を提供するお店は非常に少ない。場所にもよるが、時にその数はゼロに近い。現在、イタリアで流行っている海外料理は、中華と和食がほとんどだ。それと、トルコのケバブという食べ物も人気。今時のイタリアの人は、月に数回のペースで中華、またはお寿司を食べに行くことが珍しくないのだ。

　しかし、数十年前のイタリアなら、同じ頻度でアジア料理を食べることは、まずありえなかっただろう。理由の一つに、店舗数が少なかったことが挙げられる。道を歩くだけで、偶然そういった店に巡り合うチャンスなんて、まずなかった。誰でも、偶然見つけたお店で食事を済ませることは当然あるだろう。

　しかし、こうした偶然の巡り合わせではなく、わざわざネットなどで情報を探して、そこへ食事をしに行くとなると、ある程度の熱意や食べることが趣味でもない限り、あまりしないように思う。まさに数十年前のイタリアでは、和食と中華も含めて、海外の料理は、わざわざお店を探さなければ食べられないものだった。

　当時のイタリアでは、イタリア料理以外のレストランが流行りにくかったのだ。特にアジア圏の料理は、それが顕著だった。現在も、中華と和食とケバブ以外の海外料理の店は、残念ながらあまり流行らない。その理由は、母国の料理の美味さを超えるものが地球のどこにも無い、とイタリア人が「過信」しているからだと思う。

ハンガリーのレストランで「あー、イタリア料理が食べたい」

17歳の時、高校の見学ツアーでハンガリーの首都・ブダペストに連れて行ってもらったことがある。着いてそうそう、食事をする間もなく、ガイドさんに街中を案内され、歴史や美術についてその街の話を聞かされた。

ようやく夜になり、晩御飯の時がやってきた。入ったレストランは、ハンガリー料理店。次々と前菜が出てきて、スープが来て、肉料理が出てくる。それは小さな村に生まれ育った私にとって、生まれて初めての海外の料理だった気がする。

どんな味だろう、と思いながら、次々に目の前に運ばれてくる料理を食べてみる。水っぽいスープの中には色褪《いろあ》せた野菜のようなものが浮かんでいた。お肉は匂いが強烈で、歯応《はごた》えがしっかりとあった。口に含むと、初めて食す、少し奇妙な味が口の中に広がった。

しかし、食べ続けていると、スープもお肉も美味しく感じ始めた。周りを気にせず、一人で未知の味覚を堪能《たんのう》していた私は、隣の仲間に「見た目はちょっとだけど、食べてみると美

味しいよね」と一言投げかけた。すると

「お前、何言ってんの？　こんなの、美味しいわけないだろう」と仲間が気味悪そうに言い放った。その友人は自分の前に置いてある料理には一切、手をつけていなかった。

「あれ？　試さないの？」と訊く私に、

「試してどうなる？　どう見てもマズいものだよ。臭いし。こりゃ、食べものじゃない」とプンプン怒ってフォークをお皿の中に投げ入れた。

気づくと、他のクラスメートも皆、料理には手をつけず、文句を口にしていた。

「何だこの味！　このスープは泥水か」

「肉、焼き過ぎじゃねえ？　硬ぇよ！　焦げてるし。もー、こんなクソ不味いもん見たくもねえ！」

引率の教員たちが座っている離れたテーブルを見ると、彼らも料理を残していた。彼らはイタリア料理にもあるパンばかり注文し、それを食べ続けていた。そしてお店のスタッフは、困惑した表情を浮かべていた。

私は、どうして皆が料理を食べていないのか分からなかった。スタッフの申し訳なさそうな表情を見て、自分まで申し訳ない気持ちになった。帰り際「私は料理を食べました。ご馳走様でした。初めての味でしたが、本当に美味しかったです」と、自信のない英語で励ますつもりで店長にそう言った。すると、「そこまで皮肉を込めなくていいんじゃない？」と、嫌味たっぷりに返されてしまった。料理を味わっていないにもかかわらず、「不味い」と不平を言い続け、お水ばかり飲み、パンだけを食べていたイタリア人。我々のことを、地元の人はいったいどう思ったのだろうか……。

私の他、誰もその土地の料理を食べなかったことに、私は大きな衝撃を受けた。試しに口にしてみることもなく、見た目だけで判断し、拒否したのだった。ホテルに戻ると、友人たちはお腹がペコペコだと嘆いていた。そして、「あーイタリア料理が食べたい」と泣きそうな顔をして溜息をつく。「あんなに料理があったのに……。こいつら、馬鹿なんじゃないか？」と満腹になった私は一人そう思ったものだった。

イタリア料理しか食べないイタリア人

海外に行っても、地元の食事にトライせずに、イタリア料理しか食べたくないイタリア人。これほど「奇想天外」なシーンに遭遇するのは人生で初めての経験だったが、それから繰り返し、幾度も同じようなことがあった。ロシア語を勉強していた友だちは、勉強のため一ヶ月ほどモスクワに滞在していた。帰ってきてから「向こうはどうだった?」と訊くと、「10キロもやせた」と彼は答えた。つまり、現地の食に馴染めず、一ヶ月もの間、ロシアの料理をほぼ食べなかった、というわけだ。

母国の料理を自慢する人に「どうしてイタリア料理が世界で一番美味しいと思うんですか」と尋ねると、「僕がそう言うんじゃなくて、あっちこっちの外国人がそう言うんだよ。僕は、彼らの言葉を信じているだけだよ」と面白い答えが返ってきた。それは、考えてもみなかった。果たして、外国人は本当にそう思ってくれているのだろうか。物知りなグーグルの力を借りて、ネットで検索してみた。

検索の結果、出てきた約８０１０万件の記事、ブログ、サイトの中で、私の興味をひいたものが一つあった。「YouGov」というグローバルなオンラインコミュニティが、２０１８年に、世界でもっとも人気のある料理について調査を行っている。地球上の24ヶ国の人に、5大陸、34ヶ国の料理について調査した結果が載っていた。それによると、平均84％の人気点を獲得したイタリア料理は、確かに世界で一番人気のある料理だったのだ。2番目は中華料理（78％）で、3番目は日本料理（71％）。よって、外国人に一番人気のある料理は、本当にイタリア料理らしい。勝手な偏見より、データのほうが事実を語ることがある。

　それに、同調査のデータによると、もう一つ面白い結果が見えてきた。調査に応じたイタリア人の99％が、イタリア料理が一番良いと答えていたのだ。99％とは、ほとんど全員だ。2番目に人気のある中華の場合、中華料理が一番良いと答えた中国人の率は、95％。そして、日本の場合、和食が一番良いと答えた日本人はさらに低く、94％だった。24ヶ国の中で、自分の国の料理が一番良いと99％以上が答えた民族は、イタリア人だけだった。他の国籍で、それを超えるパーセンテージはなかった。

　確かに、昔「イタリア料理が世界一だ」と認めた日本人に会ったことがある。しかし、「世界一」の権利を海外の料理に譲るイタリア人には、未だ会ったことがないし、これからも会うことはないだろう。イタリア人に訊けば必ず、「イタリア料理が一番美味しい」という、どこか「過剰」に思える自信が見てとれるのだ。「スペインやメキシコ、中華、日本料理も美味いのは美味いけれど、我々の料理の美味しさを超えることはありえないよ」という、偏見なのか、過信なのか。

言うまでもなく、一番人気のある料理だからといって、一番美味しい料理とは限らない。味というのは、舌の味覚神経が食物に触れる時に起きる感覚、つまり単なる「反応」だ。反応にすぎないから、当然、絶対的な基準はなく、人によって感じ方は違ってくる。だから、どの味が一番美味しいと言えないのと同様、どの料理が一番美味しいかを決めるのも、結局は、根拠のない机上の空論なのだ。

〝スパゲッティの独裁政権〟

「イタリアから来ました」と相手に伝えると、女性へのナンパ問題の次に訊かれるのが、料理についてだ。やはり、日本人は料理に興味があるらしい。会話の話題にするくらいだから。

イタリア人は、たとえ母国や海外の料理が好きでも、相手の国の料理を話題に挙げることはあまりない。日本人に会ったイタリア人は、漫画やアニメ、お花見、侍や芸者のことを聞きたがる。それに対して、イタリア人に会った日本人は、食べ物とワイン、綺麗な町並みの話をしたがる。当然私もそのあたりの質問を浴びてきたのだが、時々、相手がイタリア料理のことを「誤読」している、つまり勘違いしているように感じることがある。中でも、もっとも勘違いされているのが、パスタだ。

「やはり、イタリア料理はお好きですか？」

「もちろん！　スパゲッティが大好き！」

「パスタは美味しいですよね」

「いや、私はパスタよりスパゲッティのほうが好きかな」

相手がそう答えたので、私は破顔した。単なる勘違いだと思っていたが、その後、出張でイタリアへ行って来た友人のKさんからも、似たような話を聞いて確信した。

「ローマで泊まったテルミニ駅界隈のお店に入ってカルボナーラを頼んだんだ。カルボナーラが大好きなんだよ、俺。でもね、お兄さんが間違えたのか、パスタが来たんだ。残念だったな」

「なんで残念だったの？　カルボナーラじゃなかったの？」

「いや、カルボナーラはカルボナーラだったけど、スパゲッティじゃなくてパスタだったんだ」

私は面食らった。

そこから、何度もスパゲッティという言葉を耳にする機会があって、ふと相手と自分の感覚がどこかずれているのではないか、と感じた。その話を説明してみよう。

結論から言うと、カルボナーラを注文してパスタが出てきた、そのパスタのソースがカルボナーラである限り、この皿に変なところは一つもない。なぜなら、スパゲッティはパスタの一種であり、パスタはカテゴリーの名前だからだ。スパゲッティというのは、数あるパスタの一つにすぎない。

だが、日本ではなぜか、スパゲッティもパスタだということが、あまり認識されていないようだ。イタリア人が言いそうな「ああ、パスタが喰いたいな〜」という嘆声は、日本人の場合には「ああ、スパゲッティが喰いたいな〜」に代わってしまうらしい。パスタという食べ物のカテゴリー名ではなく、スパゲッティだけが際立って認識されているのだ。

それでは、こうした「オリジナルな認識」はどこから来たのか。私見だが、和食の饂飩《うどん》や蕎麦《そば》、つまり麺類に馴染みのある日本人は、無意識にスパゲッティにも同じような親しみを感じているのではないかと思う。それで、同じパスタの中でも、麺類であるスパゲッティだけが特別扱いされているのではないだろうか。「スパゲッティではなくてパスタが来た」という言葉はまさに、こうした認識の相違を表していて、スパゲッティを待ちわびていた人からすると、これは大問題かもしれなかった。

誤読のパスタ

しかし、パスタの定義について勘違いされている点は、他にもあるようだ。イタリア語の辞典を開いてPasta《パスタ》を引くと、「デュラム小麦のセモリナ粉と水の混合物で出来ている、様々な形にカットされて、水またはスープで調理された食品の一つ」と載っている。

定義を読んで分かることは、パスタという食品が、①混合物でできていること。②切り方によって様々な形になっていること。③いろいろな調理ができること。しかし、日本語の辞典を引いてみると、パスタの箇所には「イタリア料理に用いる、小麦粉を水や卵で練ったためん類」と書いてあるだけだ（小学館の大辞泉より引用）。「麺類」は、細長く切ったものの総称。だが、イタリアのパスタは、スパゲッティやタリアテッレのように全種類がロングパスタなわけではない。パスタとは何か、という定義までどうやら誤読（誤解）されているようだ。

先の話に戻るのだが、友人のKさんに「スパゲッティはパスタの一種」と説明すると、あまりのショックに、呆気《あっけ》にとられているようだった。本人は、すっかり両者を別のものだと思っていたらしい。少しムニャムニャしてから、なにか凄いことを思いついたように突然頭を上げて

「パスタって何種類あるの？　何十種かな。ディエゴはイタリア人だから、当然、全種類食べたことあるんだよね？」と尋ねてきた。

まだまだ、説明すべきことが山ほどあるようだ……。

まず、パスタの種類は形以外にも、次の特徴によって分けられる。

①使用される小麦粉の種類

②生か乾燥か

③練り粉に卵などが入っているか、または水のみを用いて卵は一切入っていないか

①～③の組み合わせ、または地域によってパスタの種類は異なる。それがいかにたくさん

存在するか。パスタが無限大の可能性を秘めていることが分かってもらえたと思う。見た目の形だけでなく、中身や、歯応えでもパスタには違いが生まれる。よってパスタは種類が豊富なのだが、厳密に言うと、何種類あるのかは、誰も詳しくは把握していないようだ。少なくとも数百種類、千を超えるほどの種類があるのではないかと思われる。もちろん、「パスタ調査」が行われたことはある。しかしながら、正確な数字は分からないままなのだ。イタリアには、各州や町や村によって、昔から伝承されているその地域でしか作られていないパスタが数多く存在する。だから全種類を把握し、数えるのは非常に難しい。

　パスタは使用される小麦粉によって、歯応えや食感も変わる。それは、昔からイタリア人が小麦粉の種類にこだわってきた縮図のように思う。そもそも形状にこだわって、わざわざ１００種類以上もの様々な形のパスタが作られてきた理由は、いったい何なのだろうか。その理由の一つは間違

いなくパスタの形状が兼ね備えている「機能」にある。形によって、パスタの「機能」は変わってくる。

例えば、「コンキリエ」というパスタの種類を見てみよう。「コンキリエ」は、イタリア語で「貝」を意味する。名前の通り、貝殻のような形をしているのが、このパスタの特徴だ。「コンキリエ」は、くぼみがあるため、中にトマトソースなどのソースが入り込みやすい。だから、このパスタはソースがたっぷりかけられる料理によく使われる。つまり、「コンキリエ」の機能はソースを溜めることだ。

スープ料理の場合には、「ヴェルミチェッリ」か「ステッリネ」といった短い種類のパスタが使われる。その理由は、短いパスタのほうがスプーンですくいやすく、スープとともに食べやすいからだ。パスタの形には、見た目による違いもあるのだが、それよりも、味が絡みやすいか、など「機能性」のほうが先立っている。

形といえば、たまに変わった見た目のパスタも見かける。ある日、食事中に、日本人の女性の知り合いに「そういえば、イタリア人はパスタも変態だね」と言われた。唖然とした私が「ハ、ハイ?」と返すと、「だって、ミラノにいた時に、男性器のような形のパスタが売っていたよ」。詳しい事情を聞いてみると確かにあった。イタリアの観光地では、所かまわず男性器や、おっぱいのような奇をてらったパスタが販売されていることがある。

しかし！　それらは、あくまでも観光客向けの冗談まじりのお土産品の一つにすぎない。イタリア人が日常的に購入し、調理して、食卓に上るパスタの一種では決してない。こんなパスタが売っているのは観光客の中に、（現に人気があるのかどうか私には分からないが）きっと面白がって購入している人が少なからずいるからだろう。

「ディエゴはもちろん全種類食べたよね？」と訊いてくるKさんに「いや、僕は多くても20種類くらいしか食べたことないんじゃないかな」と答えると、彼の目からはまたもや鱗《うろこ》が落ちたようだった。

硬過ぎるアルデンテ

数年前のある晩、横浜の野毛にある人気の焼鳥屋、「トリノ」へ食事をしに行った。お店のオーナーシェフは、パオロというイタリア人の友人。閉店時刻になり、ウェイトレスも帰ったところで、パオロと私だけが店内に残っていた。瓶ビールを空けながら他愛もない話をしていると、彼が突然、

「話は変わるけれど、今日パスタを注文して『アルデンテお願いします』とリクエストしてきたお客さんがいたよ」と話した。

「うん。それで？」

「おかしいだろう？　だって、うちは生パスタしか出していないのに」

確かに、彼の言う通りだ。

生パスタとは、小麦粉に水や卵を加えて練った生地から成形されるもの。生だから乾燥パスタとは違い、長期保存ができない。そして、使われた卵や油の量によって加水率が上がるため、乾燥パスタよりもはるかに柔らかく仕上がるという特徴がある。たった3〜4分で茹で上がる生パスタに対し、乾燥パスタには10分以上も茹で時間がかかる種類がある。また、柔らかいため、茹でても芯が残らない生パスタには「アルデンテ」は存在しないと言われている。そもそも乾麺でない限り、アルデンテに仕上げることは無理なのだ。

イタリア人のように、アルデンテを好んで食べる日本人の友だちは結構いる。しかし、アルデンテの「程度」を誤っている日本人も、まあまあいる気がするのだ。

料理を作るのが好きな私は、時折、自分のアパートに友だちを呼んで小さな食事会を開く。自分の料理の腕が大したものだと自慢するつもりはないが、イタリア人は家に人を誘うのが習慣なので、自分もよく人を招く。ある夜、友人のＹ君をうちに誘い、辛味のスペシャリストである彼にアリオ・オリオ・ペペロンチーノのスパゲッティをふるまった。

「さて、このパスタはどうだ！」と、挑むような口調で言う私。

　彼は一口食べて、なにか物足りないかのように表情を曇らせた。

「あのさあ。うまいっちゃぁうまいけど、あまりアルデンテじゃないかな」

……まさか！　と慌てた私は、すぐにスパゲッティを噛んでみた。まあ、普通にアルデンテだった。

「Ｙ君、この硬さはちょうどいいと思うよ」と名誉を取り戻すべく、挑むような口調で主張する。

「いやいや、もっといけたハズなんだけどな〜」と真面目に答えるＹ君。

「よし、パスタとお湯をやるから、どのぐらいのアルデンテがいいのか、具体的に見せてくれ」と、私は挑んだ。

　もう一度お湯を沸かし、彼は、真剣にガスコンロを相手にスパゲッティを茹で始める。５分後にできたスパゲッティは、まあ信じられないくらい、歯茎に刺さるほど硬かった。

「おぃしい〜」と、パスタをカリカリ噛みながら満足気な笑顔を浮かべるＹ君。

私は満足気な彼に反論することはできなかった。

もちろん、今の話は極端な例だと思っていただきたい。そこまで「超《ちょう》弩《ど》級《きゅう》なアルデンテ」のパスタを好んで食べる人は、後にも先にもY君しか会ったことはない。しかし、アルデンテの程度を勘違いしている日本人には、大勢会ったことがある。

パオロにY君のエピソードを語ると、「それで結局、君の歯茎は怪我せずに大丈夫だった？」と笑ってくれた。そして、

「うちのお客さんもそうなんだけど、日本では、パスタが硬ければ硬いほど美味しい、と思っている（勘違いしている）人たちが多いんだ。こないだも『とてもアルデンテでお願いします』なんてお願いされて驚いた」とパオロ。

まさに、Y君のパスタも余裕なくらいの、かなりのアルデンテだったというわけだ。

「でもね、ディエゴ。不思議なことに、日本人は、スパゲッティって硬くてもグニャグニャでも食べるわけ」と、落ち込んだような表情をして話を続ける。

茹で過ぎのパスタは喧嘩の原因になる

イタリア人からすると、グニャグニャのパスタはもはや、食べ物ではない。イタリアでは、誰かと絶縁しようと思ったら、家に誘って、茹で過ぎたパスタを出せば十分だ。それについても面白いエピソードがある。

ある日、ローマの友人ルカから電話をもらった。「もしもし」と出ると、「ディエゴ、とんでもないことが起きた！　信じられないぞ！　信じられないことだぞ！」と、彼は慌てて言う。滅多に平静を失わない彼がこんな電話をしてくるのは珍しかったから、私は不安を感じ

つつ、心配して「どうしたの？」と訊いた。

「さっきまで、こないだ付き合い始めたばかりの女の子の家にいたんだけど。食事を作ってあげるって彼女が言うから、遊びにいったわけ。彼女はロマンチストだから、テーブルに蝋《ろう》燭《そく》まで用意してくれていたよ。素敵だろ？　でも、本当に申し訳ないけど、今夜作ってくれたパスタは……もうね、茹で過ぎっていうか、ソコまでパスタを茹でられるものかと、夢にも思わないレベルだったよ！　あんなものはもうパスタじゃなくて、小麦色の泥にすぎないよ！」

「小麦色の泥」という表現は初耳だった。斬新で、ふざけた表現に話を聞いているこちらは一人で大笑いすることになった。ギャグに聞こえるかもしれないが、イタリアでは、茹で過ぎたパスタが喧嘩の原因になる。

　ローマ大学を卒業する直前、最後に学生食堂で食事しようと思いつき、夕方のレッスンが終わってから食堂へ向かった。食堂に着いて食券を購入し、列に並んだところ、「おいお前、なんだこりゃ！」と、クレームの声が聞こえてきた。喧嘩を売ったのは大学生で、怒りの矛《ほこ》先《さき》は食堂のシェフ。「このパスタは茹で過ぎだろう！　こんなの、食べ物じゃないぞ？　まるで接着剤か、のりみたいじゃないか」

すでにパスタを買ってしまった他の学生たちもまた、料理に手をつけずに、それぞれ不満を言っていた。私も含めて、まだ並んでいた人たちはパスタを注文するのを止めた。イタリア人にとってグニャグニャのパスタを食べるのは、侮辱にも相当し、真っ平ごめんというわけだ。

「ラーメンは食べるのに、どうしてイタリア人は、うどんを好んで食べないんですか？」

そう質問されたことがある。それはきっと、グニャグニャの食感のせいだと思う。私も正直、初めてうどんを試した時はそう感じた。それでも、少し我慢しながら食べ続けてみたら、口が慣れてきて、うどんの美味しさが分かってきた。まさに、17歳の見学ツアーの時と同じだ。食べたことのないハンガリー料理を見た目で判断せず、少しばかりの我慢と勇気を振り絞って、食べてみれば、イタリア料理にはないまったく別の味に、舌鼓を打てるようになる。

この話は、数年前に親孝行のため日本に招待した自分の両親にもしてみた。しかし、残念ながら彼らにはうどんは、どうしても無理だった。「ディエゴ、代わりになんでも食べてやるから、こんな茹で過ぎた活気のないスパゲッティだけは勘弁してくれ」と。イタリア人は、新しい味を試すのがあまり得意ではないのかもしれない。逆に日本人の料理に対する好奇心には、感心させられる。まさに「いろんな国の料理を食べるのが趣味」だという、あの東京外国語大学の教授が答えた通りだ。

日本のピッツァ職人とのエピソード

Ｎさんという、イタリア料理しか食べない日本人のピッツァ職人の友人がいる。彼女は、食だけでなく、イタリアの文化の大ファンだ。確かに、彼女には日本人らしいところが少ない。どちらかというと、イタリア人っぽい性格の持ち主だ。第２章で語ったイタリア人の「距離感ゼロ」の性格も彼女に当てはまる。

実を言うと、私たちは出会ってすぐに仲良くなったわけではない。ある日、ＳＮＳで彼女から突然友だちリクエストが届いた。以前どこかで知り合った人かもしれないと思い出せずにいた私は、リクエストを承認する前に

「こんにちは。友だちリクエストをいただきありがとうございます。どこかでお知り合いになった方でしょうか？」と確認のためメッセージを入れた。すると、

「ううん、違います。フェイスブックを見ると共通の友だちが結構いるので、リクエストを

送っただけ。よかったら承認してね。もし東京に住んでいたらお食事でもしようね^^」と返事が返ってきた。

　こんなパターンで日本人から友だちリクエストが送られてくるのは、初めてだった。外国人は、直接会ったことのない人に勝手にメッセージを送ったりするのが当たり前で、イタリア人もそうしている。しかし、日本人の中にそんな人がいるなんて知らなかった。

　しばらくNさんとメッセージのやり取りをしてから、彼女は私を食事に誘ってくれた。何が食べたいのかと訊かれることなく、さっそく東京のイタリア料理のサイトが何件も送られてくる。

「どれがいい？」と訊かれて、

「イタリア料理以外なら、何でもいいよ」と答えた。それに彼女は唖然とする。

「今のは冗談？　イタリア料理が好きじゃないの？」

「もちろん好きだよ」と正直に答えると、

「じゃあなんで食べないの？」と、私がイタリア料理を食べない理由を訊かれた。それで私は彼女にこう尋ねた。

「イタリアに住んでいたら、お寿司とか母国の料理を、食べにいく？」

「いかない」

「なんで？」

「だって、日本で食べる料理ほど美味しくないって決まっているし。本当の和食じゃないから」

「僕も同じ理由で、日本ではイタリア料理をあまり食べたいと思わないんだ」。そう説明すると、なにか凄い発見をしたかのように、彼女からとても驚いている表情の絵文字が送られてきた。


　日本で食べられる海外の料理は、たとえ本場らしい料理だとしても、やはり本場と同じというわけにはいかない。たとえ似ていても、どこかで違う食材が使われていたり、料理の組み合わせがずれていたりする。例えば、イタリアで食べられる寿司はほとんど、日本の寿司屋では食べられない、イタリア人の好みに合わせて作られている「寿司」なのだ。クリームチーズが入っている巻き寿司にしろ、揚げた寿司にしろ、本来なら和食に存在しない食べ物と味であることが多い。外国人に向けて創作された料理だからこそ、そこまで「和食」が海外で人気になったのではないだろうか、とも考えられる。同じように、日本で作られるイタリア料理も、日本人の味覚に合わせて作られている。

友人のパオロにその話をしたら、「その通りだね。例えば、パスタを茹でるために使われるお湯には、塩を入れるじゃない？　日本で入れる塩の量は、イタリアで使われる分より少ない。日本人の好みに合わせているから当然の話なんだ」

もう一つ、調理において低減されているのが砂糖だ。「お砂糖もそう。イタリアで使われている砂糖の量は、日本人からすると『致命的』だね」と、笑いながら彼が言う。「だから、ドルチェ（スイーツ）を作る時は、もしイタリアのレシピに『卵1個につき、砂糖は大さじ1杯』と書いてあったら、日本では、その3分の1にしないとダメだね。もちろん、甘過ぎるドルチェでもお客さんは食べてくれるよ。ただ、美味しく食べてくれない。なんだか、イタリアの量だと甘過ぎるらしいんだ」。確かに、イタリアで食べる生クリームは、日本で食べる生クリームと、甘さがまったく違う。

日本の「大盛り」はイタリアの「普通」、
イタリアの「大盛り」は日本の「てんこ盛り」

ようやく都合が合い、せっかくだからとNさんとイタリア料理を食べに行くことになった。

彼女が選んだお店はピッツァも焼いている。メニューがいろいろあって、どれにするか迷った結果、二人ともシェフに「お任せで」とお願いした。

「この間のチャットの話、面白かったよ。日本で作られるイタリア料理は、イタリア人からすると本当のイタリア料理じゃないという話」と、彼女が言う。

「もちろん、イタリア料理ではあるけど、どこかでイタリア料理らしくないところもある。美味しくないことはない。実際に、海外で食べられるイタリア料理にしては、日本のイタリアンは大したものだと思うよ。料理人さんたちが、それほどイタリア料理を愛している証拠だろう。イタリア人としてありがたい」

「そうね」と彼女が頷《うなず》く。

「それと、どうして僕が日本であまりイタリア料理を食べにいかないのか、実は、理由は他にもある」

「なになに?」

「それはね、食事が終わったら教えるよ」

そう話している間に、前菜が運ばれてきた。同じお皿に、ハム、ねぎ、マグロ、帆立が綺麗にディスプレーされている。

「Nさんが何度も行ったことのあるイタリアでは、前菜に、マグロと帆立を出されたことがある?」

「ん～ないかな～」

「だろうね。イタリアでは、貝類と魚類がパスタの次に出される。貝類と魚類もイタリア料理の食材だけど、やはり前菜には出されないかな。でも、それよりも、この前菜のお皿を見て気になるのは量だね」

「量?」

「そう。お皿に載っているマグロのスライスは何枚か、帆立は何個か、その数がすぐに把握できるぐらい量が少ない。これも、ガッツリと食べるのが習慣のイタリアとは違うところだね。母国では、どの料理も大量に盛られて出されることが多いんだ。日本で言われている『大盛り』は、向こうの『普通』。そしてイタリアの『大盛り』は、日本の『てんこ盛り』だろうね」と言うと彼女が笑ってくれた。

「もちろん、日本人はガッツリと食べるより、いろんなものを少しずつ食べるのが好きだって、気持ちは分かる。けれど、イタリア人からすると、このぐらいの量しか出されないのは、逆に失礼かな」と、私も笑う。

オリーブ・オイルに注意！

その後、パスタとお肉も出てきた。Ｎさんは、次々と来る料理のことを詳しく説明してくれる。私よりイタリア料理を趣味にしている彼女のほうがよっぽど詳しい。

お肉と一緒に持って来られたのは、サラダと、味付けのためのエキストラバージン・オリーブ・オイル。エキストラバージン・オリーブ・オイルは、蓋《ふた》のない、ガラスの透明な瓶に入っていた。「綺麗な色だね」と、瓶を見つめながらＮさんが言う。

日本のスーパーやデパートの食料品売場に行くと、ここ数年流行っているエキストラバージン・オリーブ・オイルの商品も多く見かけられるようになってきた。オリーブ・オイルは、私が生まれ育ったプーリア州の宝物の一つ。私の実家は、代々農業をやっている。小さな葡萄畑とオリーブ畑を持っており、父親は年中木の世話をして実を作っている。言うまでもなく、うちで使われるエキストラバージン・オリーブ・オイルは、すべて自家製のものだ。子どもの頃から畑の手伝いをしていた私は、アンジェロお爺さんと父親に教わって、農業の知識を身につけた。

エキストラバージン・オリーブ・オイルといえば、もっとも気をつけるべきことは保存方法だ。オリーブ・オイルは周りの匂いを吸収しやすいため、強い匂いから離れた場所で保存しなくてはならない。たとえガラスの瓶に入っていても、蓋がないと、中身が変質してしまう。空気と光と温度も変質の原因になる。蓋のない瓶を使うと、オリーブ・オイルは空気のせいで酸化してしまう。そして、透明なガラスの瓶を使うと、光が直接中身に当たってオリーブ・オイルはまた酸化する。オリーブ・オイルの保存に相応しい温度は15度前後で、暗くて涼しい場所が一番いいとされている。

スーパーやデパートの棚に並んでいるオリーブ・オイルのなかには、透明なガラスの瓶に入っている商品がある。空気や光に触れると酸化と変質が早まるから、量り売りはあまり勧められない売り方だ。それにも構わず、日本の至るところでオリーブ・オイルを量り売りしているお店を見かける。せっかく良い商品にもかかわらず、不適合な保存方法によって悪くなってしまうのは、もったいない。

ウェイトレスが持ってきたエキストラバージン・オリーブ・オイルは、蓋のない透明な瓶に入っていたため、保存方法があまりよくないと私は思った。Nさんにもこの話をするかどうか、迷っているうちに、彼女はサラダにオリーブ・オイルをかけて、いただきます！　と食べ始める。

「美味しい〜。やっぱり、オリーブ・オイルはどの料理にもかけたくなるね」と、目を瞑って幸せそうな表情で言う。どの料理にもかけたくなると聞いて、あるエピソードを思い出した。

「この寿司にはオリーブ・オイルが足りない！」

数年前、ビジネスのため日本に来ていた、イタリア人の社長の通訳を担当したときのことだ。連日、商談が終わると、美味しいお店に連れて行ってほしいと必ずお願いされた。神戸牛、焼鳥、天麩羅のお店に連れていくと、大喜びしてくれた。

最後の夜、東京の一番高級な寿司を食べたいとお願いされ、私はスマホで探した銀座界隈のトップクラスのお店に案内した。注文した幾種もの寿司が、少しずつテーブルの上に運ばれてくる。それまで、これほど高級なお寿司を食べたことのなかった私は、さっそく一貫目をいただき、その美味しさに言葉を失った。

しかし、予想に反してその社長の評価はそこまで高いものではなかった。「なにか足りないな」と社長が口にし、途方に暮れた私が、何を言えばこの寿司の美味しさが伝わるかと考えていると「なるほど！　ディエゴ、お店の人にエキストラバージン・オリーブ・オイルをもらってくれ」と頼まれた。それは、どう考えても日本の寿司屋に置いてあるとは思えなかった。諦めるように説得してみても、相手は耳を傾ける様子がない。

しぶしぶ、店長さんに、その旨を伝えてみたが「そんなものないです」との答え。社長は唖然とした顔で「ないわけがないだろう！　魚を出している店に、オリーブ・オイルがないわけはないじゃないか。イタリアで寿司を食べる時は、必ずエキストラバージン・オリーブ・オイルを持って来てくれるぞ」。

イタリアで食べられる寿司は、あくまでもイタリア人の好みに合わせて作られたものだと説明しようとしても、聞いてくれそうにない。しまいには食事中にもかかわらず、突然お金を渡されて、エキストラバージン・オリーブ・オイルを買いに行ってくれ、と言いだす始末。

このエピソードを語ると、Nさんは大声で笑い

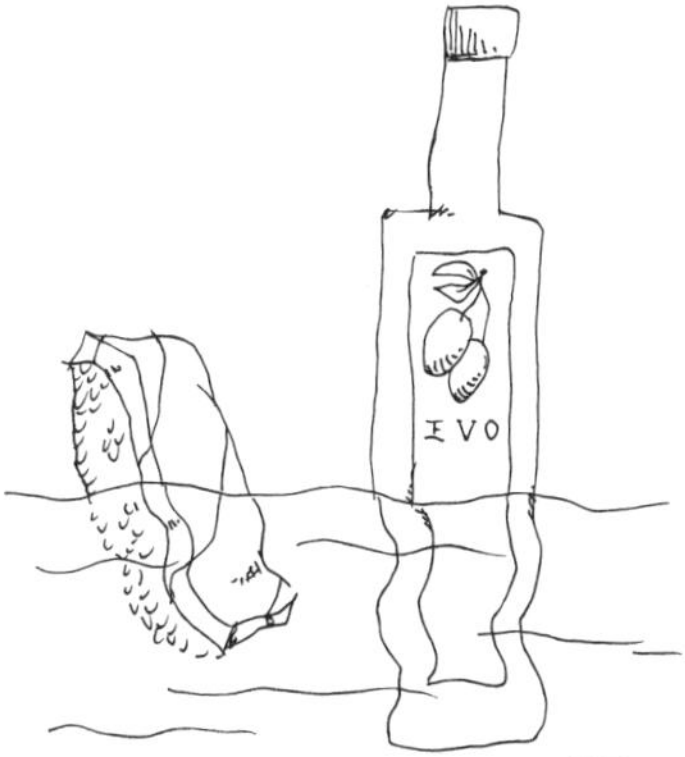

「マジ!?　で、君はどうしたの?」

「いや、もう仕方ないから、お店を出てオリーブ・オイルを探しに行ったんだ」

Nさんはまだ笑っていた。まるで、私の作った笑い話に聞こえるだろうが、これは実際に起きたエピソードだ。自分も、ここまでオリーブ・オイルにこだわるイタリア人がいるとは思っていなかったが、実は、それ以上にこだわっているイタリア人もいるらしい。


この前、イタリアからオリーブ・オイルを輸入しているある会社の方々と食事した。その際に、今のエピソードを語ったところ、誰一人として笑ってくれなかった。あれ?　おかしいなと思っていると、彼らは「いや、分かるよ。実際の話なんだって分かる。このあいだ日本に来たイタリアの蔵元の社長も、自分が作っているオリーブ・オイルの小瓶を持ち歩いて、どの食事にも必ずかけて食べていたんだ。僕も、自分の目で見てなかったら信じられなかっただろうな」と話していた。


「すごいな、こんな話聞くのは初めてだよ」とNさんは驚いて、

「そういえば、イタリア人はお寿司とお刺身、つまり生魚は大丈夫なの?」と訊いてきた。

この質問も、何度も受けたことがある。そもそも、外国人はローフィッシュ(生魚)をあ

まり好んでは食べないと思われている。それはほとんどの場合、事実だと思う。

しかし南イタリアの場合は、話が変わってくる。そんなに知られていない話なのだが、私の地元のプーリア州では、古くから魚を生で食べる食文化があるのだ。帆立やムール貝といった貝類をはじめ、蛸《たこ》や、魚を生で食べる習慣がある。まったく日本と同じだ。ただ唯一違うのは、味つけにかけるのが醤油ではなく、レモンとオリーブ・オイルだということ。だから、子どもの頃から生魚を食べてきた私には、日本で初めてお刺身を口にした時も、難なく味わうことができた。あまり生魚を食べる習慣のない、北イタリアの友だちは初めてお刺身を食べて、少し辛い思いをしたと語っていたが、私にとってはそうではなかった。

それぞれの町に、それぞれの味がある

こうしてNさんと談笑していると、

「ねえねえ、なにかもうちょっと食べない？　シメにピッツァはどうかな？」と彼女が提案してきた。

「いいじゃない？　食べよう、食べよう。でもパスタ、お肉、サラダ……そしてピッツァと

は！　順番が狂っているね」と私が笑うと、彼女は

「確かに！　イタリアではパスタを食べるか、ピッツァを食べるかだものね。両方食べることはないかな。たまに、ピッツァの前に前菜を食べたりすることがあっても、パスタの後にピッツァを食べることはないよね」と真面目に考察する。

シメのピッツァを待っている間、ちらっとしか見ていなかったメニューを開いて、ふと

「この lampredotto《ランプレドット》という名前の料理は何だろう？」と尋ねる私に、

「え？　ランプレドットを知らないの？　嘘でしょ!?」と驚くNさん。

ランプレドットという料理は、本当に知らなかった。その名前すら、耳にしたことがなかった。「イタリアでは、どこの州に行っても同じ料理を食べられる」――そんなふうに海外から来る人は勘違いしていることがある。それは特に日本人に多いように思う。

イタリアは郷土料理の多い国なので、州、地域、町や村によって味わえる食材と料理がまったく違う。南イタリアには、北イタリアの象徴的な料理である polenta《ポレンタ》を食べられるレストランは、ほとんどない。逆に、北イタリアでは、南イタリア・プーリア州の代表的なパスタ orecchiette con le cime di rapa《オレッキエッテ コン レ チーメ ディ ラーパ》を提供しているお店は滅多にないだろう。

よく考えてみると、料理だけでなくワインも同じだ。州と地域によって、栽培される葡萄

品種が違うので、ワインの品種も変わってくる。イタリアの食文化はとても多彩なのだ。たとえイタリア料理という大きな括りであっても、その地方料理の名前すら聞いたことがないというイタリア人は多い。

そう説明すると、Ｎさんは頷きながら何度も相槌をうち「なるほどね。確かに、言われてみればそうだった。フィレンツェの郷土料理のランプレドットは、フィレンツェに行った時に食べたけど。ナポリの飲食店のメニューには載っていなかったな」。

カルツォーネはピッツァではない

ピッツァを待ちながら、せっかくピッツァ職人Ｎさんと一緒にいるのだからと「カルツォーネ」について、少し訊いてみた。カルツォーネとは、ピッツァと同じ材料で作られる、半月のような形に折り畳んで釜で焼かれる食べ物。中身は、トマトソースとモッツァレッラ・チーズが定番だが、オリーブの実やプロシュット（ハム）が入るものも珍しくない。ピッツァの生地で作られるにもかかわらず、ピッツァとはまた、別の食べ物なのだ。イタリアでは高くとも３ユーロ（約３６０円）の値段で買えるものが、日本ではなぜか１６００円から１

９００円の間の値段がつけられている。値段は5倍ほどになる。

「イタリア人は、カルツォーネはピッツァだと認識していないけれど、日本ではなぜか、カルツォーネはピッツァの一種類として紹介されているのを、いつも気になっていたんだよねー。本来は、手に持ってサンドイッチみたいに食べるはずなのに、日本人はお皿の上でナイフとフォークで食べているのも、若干不思議に思うんだよね」と言うと、彼女は頷いた。

「それに、本来は入らないはずのサラミやキノコといった具や、まったく関係ないマスカルポーネまで入っていたり。カルツォーネと呼びながらも、そのほとんどが完全にアレンジされていて、もはやイタリアのカルツォーネじゃなくなった、単に同じ形状の食べ物だね」

Nさんの働くお店もまた、そんなカルツォーネを出しているようだった。

「僕が訊きたかったのは、どうしてそんなふうにアレンジされているのか。そして、どうして日本ではピッツァ並みに、そのような高い値段がつけられているのか？」

つい質問責めにしてしまった。

彼女は腕を組んで、何かを考えているようにしばらく下を見たあとで、

「そうだな〜。問題は、『見た目』だと思う。カルツォーネは、焼きあげた焦げめが、まるでパンのようにしか見えないの。それに、中に何が入っているのかわからないし。切ってみ

ないと、中身がわからないじゃない？　それに、中に入れる具とは別に、外にも具を載せるから。それで、値段が高くなるのかな」と説明してくれた。

「そうか。でもね、そもそも、どうしてあんなにハム、卵、アスパラガスまで入れるの？　ビスマルクピザじゃないんだからさ」

「それねー。だって、中身がトマトとモッツァレッラだけだと、日本では商品になりづらいのよ。日本人のイタリア料理のイメージは、もっとお洒落《しゃれ》だから。それに合わせないと、物足りない印象を与えちゃうのよね」

「イメージというか、ステレオタイプのことだね？」と訊く私に

「ええ。まさに、ディエゴが言う通り。日本で食べられるイタリア料理は１００％イタリア料理じゃないから」。そう言って彼女が微笑む。

ジェラートは歩きながら

少し経ってから、サービスのウェイトレスが、メニューを片手に「デザートは如何《いかが》でしょうか」と尋ねてきた。

「ディエゴ、見て！　あなたの大好きなジェラート、三点盛り合わせもあるよ」

「いや、私は大丈夫だよ」

「あれ？　アイスクリームって、たとえお腹がいっぱいでも食べられちゃうって、前に言ってなかったっけ？」

「うん、その通りだね」

「じゃあ、なんで食べないの？」

「ジェラートは、レストランで食べると、どうしても違和感を覚えるから」と答えると、Nさんとウェイトレスは顔を見合わせて、不思議な表情をしていた。その後、Nさんはジェラート三点盛りを食べながら、

「で、レストランで食べると違和感があるっていう、さっきの話は、何だったの？　聞かせて、聞かせて」とお願いされた。

イタリアは、ストリートフードの文化が長い。ストリートフードとは、路上での屋台、または小さなお店で買った食べ物を、その店舗の近くで立ち止まったり、またはどこかに座ったりして、あるいは道を歩きながら食べる物だ。

ストリートフードの定義に当てはまる料理は、フォークとスプーンなどを使わずに、手に

持ちながら食べられる、シンプルな作りの食べやすい物。イタリアのストリートフードといえば、まずはpanino《パニーノ》という、パンで具材を挟んだ軽食だろう。ストリートフードで有名なパニーノは、パレルモのpani câ meusa《パニカーメウサ》という、牛の脾臓、肺臓や気管の煮込みの挟まれたパン。臓器の煮込みというと、その具材はえぐいように思う人もいるだろうが、実際に食べてみると、本当に美味しいので、機会があればぜひ試していただきたい。

そして、イタリアのジェラートもまた、ストリートフードの一つ。南イタリアには、北イタリアにはない「spumone《スプモーネ》」と呼ばれる特別な形のジェラートがある。それはレストランで食後に食べられる唯一のジェラートと言えるかもしれない。スプモーネには、スポンジケーキや食後酒が入っているため、ジェラートというより、アイスケーキに近いものだ。よって、レストランで食事の締めとして頂くには、ち

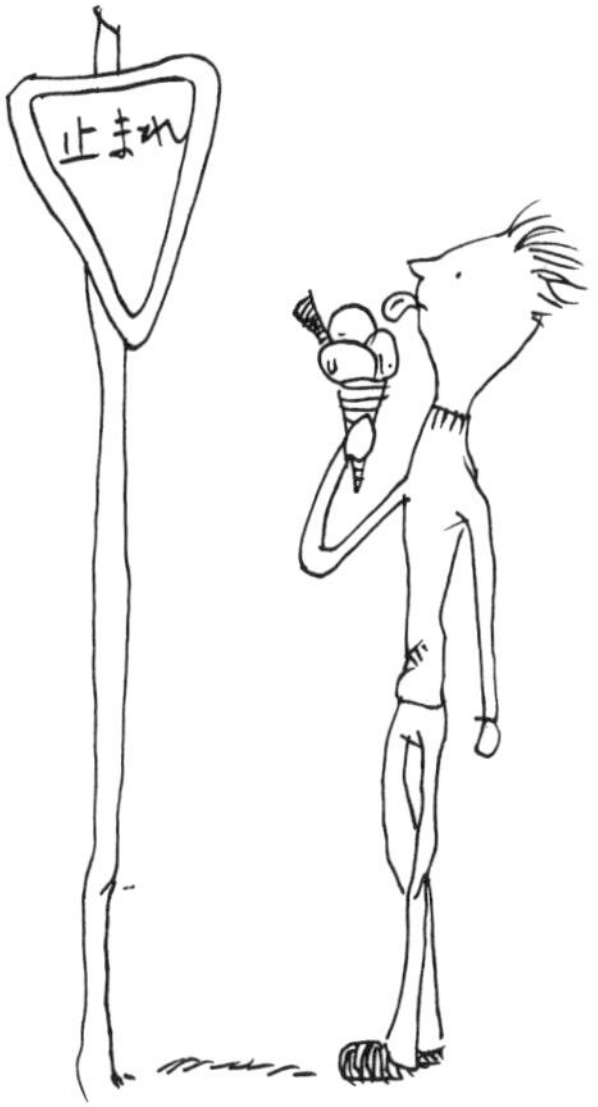

ようどいい。スプモーネ以外のジェラートが置いてあるレストランは、逆に珍しいかもしれない。あるとしたら、観光客のリクエストに応じるために用意している観光地の店舗だけではないだろうか。

イタリア人にとってのジェラートは、やはりジェラート屋で買って、その場で食べるものだ。その場でといっても、お店の中にただただ佇《たたず》んでアイスを舐《な》めるという意味ではない。その辺をぶらぶら歩きながらアイスクリームを食べる、という意味だ。

初めて日本で食べ歩きしようとした時、当時付き合っていた彼女に酷く怒られた。「マナーが悪いから、それは止めてほしい」と言われて驚いた。じゃあ、買ったばかりのアイスクリームはどこで食べたらいいのかと尋ねると、「ここで」と、自分の足元を指差された。人が通る道傍《みちばた》にじっと立って、一歩も動かずにアイスクリームを食べた。通りかかる人たちは、不機嫌な彼女の側《そば》にただただ佇んでアイスクリームを舐め続ける私を怪しげに見つめた。その光景を客観的に見て、果たして本当にこれでいいのか、と私は不安に思った。

そもそも、なぜイタリア人は歩きながら食べるのが好きなのだろうか。料理は、味覚だけでなく、他の感覚器官でも楽しむもの。食べ物は舌のみならず、形を目で見て、香りを鼻で楽しむことができる。そして、不思議なことに、味というのは、食べ物以外からも、その影響を受けるのだ。たとえ同じ料理でも、それを味わう場所によって受ける「印象」は変わってくる。お洒落なお店で食事することと、味気ない内装のお店で食事するのとでは、味まで違って感じられる。店舗の雰囲気は料理の印象をも変える、というわけ。そうした理由からストリートフードと、食べ歩きの文化が生まれたのではないだろうか。

ジェラート屋でアイスクリームを買う。そのアイスクリームを、お客さんで満杯になっている同じお店の中で食べるか、店の前で立ち止まって食べるか、歩きながら食べるか。三つの選択肢があったら、多くのイタリア人は食べながら歩くのが一番いいと答えるだろう。

仲間とローマの中心街を歩きながら、ゆっくりとジェラートを味わう。味わっているのは、決してジェラートだけではない。周りに広がる、２０００年以上の輝かしい歴史を物語ってくる遺跡のある風景をも巻き込みながら、同時にジェラートも味わうのだ。そうして食べるジェラートは、道で立ち止まったり、人の溢れる狭いお店の中に佇んだりして食べるジェラートより、はるかに美味しい。

この話を聞いたNさんは、すでに空になったお皿を見ながら、

「だからイタリアで食べるジェラートの方が美味しいんだ！」と、結論づけた。

3時間も美味しい料理をたくさん食べて、食後酒まで頂いて、いよいよ帰る時間になった。会計をお願いすると、

「そういえば、日本であまりイタリア料理を食べにいかない、もう一つの理由は何だったっけ？」と訊かれた。

ちょうどその時に、ウェイトレスが可愛い小皿を手に、お会計の伝票を持ってきた。私はそれを広げて、

「さあ、もう一つの理由は何だろう」と、彼女の言葉を繰り返しながらその伝票を渡す。本場より何倍も高い日本のイタリアンにとっくに慣れている彼女は、金額を見て「値段かぁ！」と自ら答えを出して笑っていた。

「量は半分、値段は倍」。そう付け加えて私も笑う。

「ちなみに、今夜の話は、今執筆中のイタリアのエッセイに収めるつもり？」

「うん。そのつもりだけど、大丈夫？　名前を出さないから」

「いや、もちろんいいんだけど、せっかくだから私の名前を出してほしいな」

「いいの？　じゃあ、喜んで君の名前を掲載するよ」と、帰り道になおみさんにそう約束した。

「ブレンド」に関する誤解

数年前、東京の神保町にあるコーヒースタンド「ＭＤコーヒーダイレクト」で昼間の店の手伝いをさせてもらっていた。こちらのオーナーは、イタリア・シチリア島から、「Miscela《ミシエラ》 d’Oro《ドーロ》」という高級ブレンドのカッフェ（コーヒー）の豆と粉を直輸入している。さらに、営業の一環として、神保町の一角にコーヒースタンドを数年前に立ち上げた。

私は、来店するお客さんにイタリアのコーヒー「Miscela d’Oro」の特徴をいろいろと紹介していた。接客をしていると「イタリアのコーヒーというのは、イタリアで栽培した豆で作られたコーヒーのことですか？」と質問されることがあった。「イタリアのコーヒー」と呼ばれるコーヒーは、イタリア産の豆でできているわけではない。コーヒーの木は、よほど暑い地域でないと、結実しないものだ。いくら南イタリアの夏が暑いとはいえ、さすがにコーヒーの栽培ができるほどの気候ではない。「イタリアのコーヒー」という呼び方は、イタリア国内で、イタリア人好みに焙煎《ばいせん》されて、ブレンドされたコーヒーのことを指しているだけだ。

そうしてイタリアのコーヒーの特徴を説明している途中で、「ブレンド」という言葉を使うと、日本人のお客さんに「そうか、ブレンドか」と残念そうな表情をされることがある。最初は、どうしてそんな反応をされるのか分からなかったのだが、話をしているうちに、理由が見えてきた。どうやら、日本人は、ブレンドされた飲み物があまり好きではないらしい。

コーヒーのみならず、ワインやオリーブ・オイルに対しても同じように思っているようだ。来店するお客さんの話をいくら聞いても、「混ざったものより、純粋な（単一の）味を楽しみたい」との回答がほとんどだった。つまり、「混ぜ物＝質が低い」という、勝手な発想、偏ったイメージをもっているようなのだ。しかし、ブレンドだからコーヒーが美味しくない、ということは決してない。また、ブレンドされていないコーヒーのほうが、クオリティーが勝るというわけでもない。むしろ、正反対だ。

ブレンドという作業は、たった一種の豆からだと絶対に表現できない、まったく新しい味や香りを作り出すために行われる作業の一つ。そもそもはイタリア人がコーヒーにおけるブレンドの文化を始めたといわれている。原則として、クセのある食べ物と飲み物をあまり好まないイタリア人は、苦味と甘味と酸味のバランスがとれていて、コクがあり、旨《うま》みの多い、まろやかなコーヒーが作りたくて、昔からいろんな豆を混ぜながら「ブレンド」に挑戦してきた。

覚醒と娯楽のエスプレッソ

イタリアのコーヒーといえば、もちろんエスプレッソ。エスプレッソは、イタリア人の生活に一番欠かせないものと言えるだろう。朝起きて、まずエスプレッソを飲む。朝のエスプレッソは、イタリアのコーヒーショップ「バール」へ飲みに行くか、自宅で自ら作るかのどちらかだ。自宅で作る場合、電動エスプレッソマシンやカプセル形態のエスプレッソマシンが置いてある家庭は、割と少ない。

一方、どの家庭にも必ず置いてあるのが、「モカ」または「マッキネッタ」という名前の、直火式のエスプレッソ抽出器具だ。コンロに置いて、直接加熱する。加熱による蒸気圧のお陰で美味しいエスプレッソが抽出され

る。家庭用のマッキネッタで作られるエスプレッソは、バールのエスプレッソマシンで作られるエスプレッソほど濃くはないが、イタリア人にはどちらも好まれている。

朝にエスプレッソを飲むイタリア人は、午前中の休憩時にもまた飲む。そして、昼食後にも飲むし、午後の休憩時にもまた飲む。一日中、様々なタイミングにエスプレッソを楽しんでいる、というわけだ。唯一飲まない時間帯は、夜。エスプレッソに含まれるカフェインの働きは、脳を活性化し、疲労を感じさせないと考えられている。エスプレッソは、一気に目を覚ます効果があるので、朝に必ず飲まれる。一方で、覚醒して眠れなくなってしまうので、夜に飲むのは控えている。夜に飲まない理由、それが、朝に必ずエスプレッソを飲む理由なのだ。

そのまま飲むと、エスプレッソはとても苦い。たとえ酸味が少ないブレンドだとしても、やはりエスプレッソという作り方によって抽出されたコーヒーは味とともに苦味も濃くなる。それで、より飲みやすくするため、砂糖などを入れる。エスプレッソに入れる砂糖の量もまた、日本人にとっては「致命的」と思われてしまいそうだ。

エスプレッソ一杯につき、砂糖をティースプーン1〜2杯ほど入れるのがイタリア人の基準。なかには、砂糖を一杯も入れずにブラックでエスプレッソを楽しんでいるイタリア人もいるが、彼らは少数派だ。周りのイタリア人に完全な「宇宙人扱い」されている。傾向としては、北イタリアより、南イタリアのほうがエスプレッソは、より甘く飲まれている気がする。

エスプレッソだけで、イタリア人がいったいどのくらいの砂糖を摂《と》っているのかを計算してみよう。１～２杯の砂糖掛ける、一日に飲むエスプレッソが３～４杯だとして……身体が毎日吸収している砂糖の量が恐ろしい。

私は、「エスプレッソを飲む」という動詞に「飲」という漢字をあてているのだが、むしろ、「呑」の漢字を使うべきだろう。日本で親しまれている、ゆっくりと時間をかけて飲まれるドリップコーヒーこそ、まさに飲み物と呼べる代物だ。それに対して、量が少なくて、一気に、ほぼ一口で呑み切れてしまうエスプレッソは、飲み物と呼べるのだろうか。

実際、イタリア人の感覚からすると、エスプレッソは「飲み物」ではない。どちらかというと、エスプレッソは「飴」のようなものだと、多くのイタリア人は感じている。起床後や、仕事の休憩時にエスプレッソを呑んでいるイタリア人は、飲み物そのものを楽しむというより、脳を活性化させるために呑んでいる。それに、エスプレッソが食後に呑まれる理由は、口の中で混ざり合ったいろんな味をさっぱりクリアにして、舌と口内をすっきりさせるためでもある。

　エスプレッソは、もちろん会話のきっかけにもなる。日本でよく聞く「近いうちにお茶でもしましょう」という誘い文句は、イタリアでは「エスプレッソでもしましょう」になる。日本のドリップコーヒーは適度に量があるので、お茶をする時には、ゆっくりと飲み物を楽しみながら会話ができる。しかし、エスプレッソではそうもいかない。

　エスプレッソの「寿命」は短く、だいたい一分ほどだと考えられている。よって、エスプレッソはゆっくりと楽しめる飲み物ではない。素早くエスプレッソを呑んでしまってから、ゆっくり会話を楽しむというパターンになる。おそらくそうした理由から、「ＭＤコーヒーダイレクト」に来店する日本人のお客さんは、エスプレッソを頼むとき二倍の量を意味する「ドッピオ」を注文する。ドリップコーヒーに慣れている日本人は、エスプレッソを呑む時も、「飴」ではなく、「飲み物」として楽しみたいのだろう。それで、量が倍になればエスプレッソも飲み物らしくなる、と思っているのではないかと、そう感じた。

コーヒーへのこだわり

「あのさぁ、イタリア人はドリップコーヒーを飲まないの？　イタリアに行った時、バールで『ウン・カッフェ・ペル・ファヴォーレ《コーヒーを一つお願いします》』と注文すると、いつもエスプレッソが出てくるんだ。エスプレッソを頼んだ覚えはないのに。だから、次はドリップコーヒーと言ってみた。嫌な顔をされながら、バリスタはお湯割りのエスプレッソを出してくれたよ」。イタリアでの出来事をまるで不祥事かのように語ってくれた40代半ばのAさん。

日本で「コーヒーを一つ」と注文すると、ドリップのコーヒーが出てくるのが一般的だ。イタリアでは、同じ言い方で注文するとエスプレッソが出てくる。日本でコーヒーといえば定番のドリップコーヒーが提供されるように、イタリアでは、イタリアのコーヒーの定番エスプレッソが提供される。考えようによっては、ごく当たり前ではないだろうか。Aさんのように、ドリップコーヒーとはっきり指定して伝えない限り、どこのバールでもエスプレッソを出されることになる。

イタリアで、ドリップコーヒーのことは「カッフェ・アメリカーノ」（アメリカン・コーヒー）と呼ばれている。しかし、ドリップコーヒーの文化がほとんどないイタリアでは、たとえ「ウン・カッフェ・アメリカーノ・ペル・ファヴォーレ」と注文しても、紙のフィルターでドリップされた、ちゃんとしたドリップコーヒーが出されることは滅多にない。出されるのは、お湯で割ったエスプレッソばかりだ。それは言うまでもなく、普通のドリップコーヒーとは別のものだ。

　茹で過ぎたスパゲッティの話と少し似ているのだが、濃いカッフェを楽しむイタリア人は、味を薄くした水っぽい（お湯っぽい）コーヒーを楽しむことがどうしても理解できない。「飲感」はエスプレッソと正反対なので、ドリップコーヒーをちょっぴり味わってみるだけでも、無理しているように感じてしまう。

　そんなわけで、イタリアでドリップコーヒーのことは、「汚れた水」を意味する「acqua《アックア》 sporca《スポルカ》」と呼ばれる。濃いエスプレッソに命を捧げているイタリア人からすると、濃くないどころか、むしろ薄過ぎるドリップコーヒーは、コーヒー味のするお湯のように感じられる。イタリア人は、イタリアの料理のみならず、飲み物にまで「保守的」なのかもしれない。

あとがき――「変なイタリア人」と日本

世間一般では「イタリア人は懐《かい》郷《きょう》病《びょう》になりがち」と言われているのだが、10年も故郷を離れて海外に住んでいる私は、一度もホームシックになったことがない。イタリア人は「いつも遅刻する」と思われているのだが、私は基本的に時間を守るタイプ。「エスプレッソしか飲まない」と考えられているイタリア人だが、私はエスプレッソやコーヒーをまったく飲まない（どちらかというと、自分は同国民が好んで飲まないお茶派なのだ）。

確かに、ステレオタイプ目線でイタリア人のことを見ると、ステレオタイプに当てはまらない私は「イタリア人らしくない」、または日本人の言葉を借りると、「変なイタリア人」にしか見えないだろう。しかし、そのような「変なイタリア人」は私の他にも、沢山いるような気がする。

ステレオタイプは、固定的かつ画一的な観念であるため、現実を「正読」するのを妨げてしまい、「誤読」に向かわせるものだ。がしかし、そのように「誤読」させるステレオタイプにはデメリットがある一方、異文化に関しては、一つ無視できないメリットもあるのだろう。我々はステレオタイプを通して、訪問したことのない国と、触れ合ったことのない民族に、出会えるのだ。たとえ偏見でも、ある国についてのステレオタイプがなければ、その国の存在自体、知ることはなかったかもしれない。その意味では、ステレオタイプは異文化に近づいていくための、大切な第一歩に思える。

父親の世代の人たちと喋っていると、「日本」という言葉からは「闘い好きな侍と忍者がいる国」と「芸者という艶《なま》めかしい女の国」というイメージしか湧かないようだ。そのイメージはもちろん、本当の知識ではなく、ステレオタイプにすぎないものだ。単なる「正読に導かない誤読」。しかし、それをきっかけに、日本とは実際にどんな国なのかと気になり、真剣に知りたくなるかもしれない。それをきっかけに、本当の日本に出会えるかもしれない。

そもそも、私は日本人にだけではなく、同国民にも「変なイタリア人」と呼ばれていたのだ。

昔の私は、面識のない人に触られたり、知り合ったばかりの人に挨拶のキスをされたりすると、あまりいい気がしなかった。子供の頃からそれが嫌だった私が、「どうして知らない人にハグされるの？　どうしておでことほっぺたにキスされるの？　僕はイヤだけど」と苦情をこぼすたび、「習慣だから。我々イタリア人の、大切な文化だね」と、母は気長にそう説明してくれた。文化だろうが、イタリア人の「距離感ゼロ」には常に違和感を覚えており、不快な思いもしていた。初めて会った相手に触られたり、挨拶のキスをされたりするのが、プライバシーの侵害にしか感じられなかった。だから、逆に、できるだけ相手と距離を置こうとしていた。

　そして、昔の私は、喋るのがあまり好きではなかった。しかし、自分の周りは、絶えず喋りまくっているイタリア人だらけだった。学校では、教授の説明を気にも留めず、レッスンの間中、喋っていたクラスメートも沢山いた。教会では、神父の垂教に耳を貸さず、ミサの間中、喋っていた信仰者たちもいた。教授も神父も「静かにしなさい！」と、よく怒っていた。

　交通手段も危ない罠《わな》のようだった。バスに乗って座ると、隣席の見知らぬ人から声をかけられる。晴天の日に「今日はいい天気ですね」、雨の日に「今日は天気が悪いですね」と天候の話をきっかけに、するすると会話に誘われる。本を読もうとしていた私は、のらりくらりと逃れようとしたが、相手はいつまでも話し続けた。本を読みたくてたまらなかった私は、時には、途中でそのバスから降りて次のバスを待ったこともあった。が、次のバスにもまたもや、話をしたがる人が乗っていたのだ。どうしてイタリア人は喋るのがそこまで好きなのだろう、と、いつもそれを不思議に思っていた。私は、逆に、一所懸命（そして無理やり）話すのが好きではなかった。何か話すことがなければ、単純に黙っていた。理由もないのに、面識のない人に声をかけたりすることも、滅多にしなかった。

　しかし、一番「変なイタリア人」と言われた理由は、確かに「calcio《カルチョ》」（和訳：「サッカー」）のせいだった。イタリア人が一番情熱に燃える趣味は、サッカー。「趣味」と呼ぶより、むしろ「宗教」と呼ぶべきかもしれない。町へ行くと、街角でもサッカーで盛り上がっている人たちの会話が耳に入ってくる。日曜日の午後はサッカーの選手権試合があるため、昼食が終わると、皆がテレビの前に座り込んで、試合をめぐる番組を観まくる。そして、翌日から次の日曜日まで、学校や職場で、イタリア人はその試合の結果を激しく批判し合う。

　残念ながら、私はイタリアの国技とされるサッカーに、一切興味を持っていない。応援しているチームだってない。スタジアムだって、試合を見に行ったことは一度もない。少年の時、学校の同級生にそれを打ち明けると、周りには「宇宙人扱い」されてばかりいた。サッカーは、若者同士の間では最も重要な共通の話題なのだが、私にはまったく通用しなかった。

つまり、昔の私は、あまり社交的なイタリア人ではなかった。20歳までは、本書で描写してきた「イタリア人」とはまた別のイタリア人だった。面白いことに、私は日本人が抱いているイメージだけではなく、同国民が抱いているイタリア人のイメージにも当てはまっていなかった。そこから、ステレオタイプとは異国民に対して抱くものに限らず、同国民に対して抱くものでもある、ということが明白に分かるだろう。

「え⁉ ちょっと待って、冗談でしょ？ ディエゴは、めちゃくちゃ社交的じゃない？」とNさんは驚いて訊く。

現在のディエゴを見て判断すると、昔、社交性の薄いディエゴがいたとは想像しにくいのだろう。

「冗談じゃなくて、事実なんだよ。私は以前は、そんなに社交的じゃなかった」

「何があって変わったの？」

「それはね、日本に出逢えたからだったんだ」

ローマ大学に入るまで、日本に関しては知識がほとんどなかった。プレイステーションを作った国、大きな目の人物を描く人たち、派手な色に染まった髪の毛をしている若者たち——自分が「知っていた」日本はそれくらいだった。

もちろん、それも知識と言えるものではなく、ただのステレオタイプにすぎなかった。が、そのステレオタイプのお陰で、私は日本に近づいていけたのだ。入学後、日本文化に関して学習していくと、自分が想像もしなかった美しい国を知り始めた。学生の私は、多くの発見によって、日々、刺激とインスピレーションを享受し続けていた。

そして、２００８年４月から、奨学生として東京外国語大学に留学していた自分にとって、その間の経験は非常に貴重だった。一年ほど母国を離れて、日本という「異文化」の中に暮らしていた私は、ゆるやかに「日本目線」を養っていった。来日するまで、イタリア目線で見て理解できなかった日本人の行動や思考は、今度こそ日本目線を使ったら理解でき始めた。そこで、日本人に対して抱いていたステレオタイプと「誤読」による偏った知識も、徐々に直していった。

それと同時に、もう一つ大事なことが起きた。いつの間にか、日本目線を使ってイタリア文化を振り返っていた。本書のまえがきにも書いたのだが、異文化は「まるで母国文化を反映させる鏡」のようなものだろう。新しく得た目線で母国の文化を見ることによって、思いがけない「発見」が多数あった。日本目線を使うことで、以前は意識していなかったイタリア文化の良さに初めて気づいた。当然ながら、どのものにも良し悪しがあるのだ。私が「再発見」したのはイタリア文化の「良し」のみならず、その「悪し」でもあった。そのような「再発見」は、本書のそこかしこに散らして載せてみた。

異文化に出会ったからこそ、母国文化に再会できたわけだ。「距離感ゼロ」や「喋り好き」など、昔の私は母国文化に対する「誤読」を多くしていた。が、「誤読している」という意識がなかったのだ。

その意識をくれたのは、異文化。日本との出逢いのお陰で、自分の中でもやもやとしていたイタリア文化のことを新たに認識できて、初めて理解することができた。「誤読」から「正読」へと。そうすることで、過去に咲く機会がなかった私の「イタリア人性」は、ようやく花開いた。

「異文化って、そこまで大事だと思っていなかったな。そして、ものの『正読』に導く機会としては、『誤読』してみることも大事だね」と、頷きながら、Nさんは私が話した内容をまとめた。

「はい、その通りです。そういえば、この間、すごく美味しい寿司屋を見つけたんだけど、今度、一緒に行ってみない?」と誘った私に彼女は、

「いいね！　あ、でも、ちょっと待って。せっかくだから、イタリア料理に行ってみようかな」と、何かを考え直しているかのように答えた。

編集協力　馬場紀衣
本文デザイン　熊谷智子
本文イラスト　著者

ディエゴ・マルティーナ（Diego Martina）

1986年、イタリア・プーリア州生まれ。日本文学研究家、翻訳家、詩人。ローマ・ラ・サピエンツァ大学東洋研究学部日本学科（日本近現代文学専門）学士課程を卒業後、日本文学を専攻、修士課程を修了。東京外国語大学、東京大学に留学。翻訳家としては谷川俊太郎『二十億光年の孤独』と『minimal』、夏目漱石の俳句集などをイタリア語訳、刊行。詩人としては、日本語で書いた処女詩集『元カノのキスの化け物』（アートダイジェスト）が読売新聞の書評で「2018年の3冊」の一つとして歌手・一青窈に選出される。黒田杏子主宰の「藍生俳句会」会員。

誤読《ごどく》のイタリア

2021年1月30日初版1刷発行

著　者 ―― ディエゴ・マルティーナ
発行者 ―― 田邉浩司
装　幀 ―― アラン・チャン
印刷所 ―― 堀内印刷
製本所 ―― 国宝社
発行所 ―― 株式会社光文社
東京都文京区音羽1-16-6（〒112-8011）
https://www.kobunsha.com/
電　話 ―― 編集部03（5395）8289　書籍販売部03（5395）8116
業務部03（5395）8125
メール ―― sinsyo@kobunsha.com

ISBN 978-4-334-04520-3